Garota Online em Turnê

ZOE SUGG

Garota Online
EM TURNÊ

Tradução
Débora Isidoro

1ª edição
Rio de Janeiro-RJ / Campinas-SP, 2016

VERUS
EDITORA

Editora
Raïssa Castro

Coordenadora editorial
Ana Paula Gomes

Copidesque
Maria Lúcia A. Maier

Revisão
Raquel de Sena Rodrigues Tersi

Projeto gráfico
André S. Tavares da Silva

Capa
Adaptação da original (Penguin Books Ltd)
© Ahoy There

Fotos da capa
© Silas Manhood (garota com a máquina fotográfica)

© AstroStar/Shutterstock (mão fazendo um coração)

Título original
Girl Online on Tour

ISBN: 978-85-7686-416-5

Copyright © Zoe "Zoella" Sugg, 2015
Todos os direitos reservados.
Edição original publicada por Penguin Books Ltd, Londres.

Tradução © Verus Editora, 2016
Direitos reservados em língua portuguesa, no Brasil, por Verus Editora. Nenhuma parte desta obra pode ser reproduzida ou transmitida por qualquer forma e/ou quaisquer meios (eletrônico ou mecânico, incluindo fotocópia e gravação) ou arquivada em qualquer sistema ou banco de dados sem permissão escrita da editora.

Verus Editora Ltda.
Rua Benedicto Aristides Ribeiro, 41, Jd. Santa Genebra II, Campinas/SP, 13084-753
Fone/Fax: (19) 3249-0001 | www.veruseditora.com.br

CIP-BRASIL. CATALOGAÇÃO NA FONTE
SINDICATO NACIONAL DOS EDITORES DE LIVROS, RJ

S944g	

Sugg, Zoe, 1990-
    Garota online em turnê / Zoe Sugg ; tradução Débora Isidoro.
- 1. ed. - Campinas, SP : Verus, 2016.
    23 cm.	

Tradução de: Girl Online on Tour ISBN 978-85-7686-416-5	
1. Romance inglês. I. Isidoro, Débora. II. Título.	
16-32610	CDD: 823 CDU: 813.111-3

Revisado conforme o novo acordo ortográfico

Para as pessoas que tornaram isso possível e me incentivaram
Sou eternamente grata

20 de junho

Como Sobreviver a Um Relacionamento a Distância Quando Seu Namorado é Um Deus do Rock Supergostoso

1. Baixe o Skype, o WhatsApp, o Snapchat e todos os aplicativos de redes sociais que você encontrar. Passe a noite inteira acordada com seu pijama de panda, conversando com seu namorado até as pálpebras começarem a tremer e você ter que ir dormir.

2. Sempre que acordar e sentir saudade dele, escute "Garota de Outono" no modo repetir.

3. Instale no seu celular um aplicativo que mostre que horas são onde ele estiver, para não acordá-lo sem querer às três da manhã para conversar. (Já fiz isso umas dez vezes!)

4. Compre uma agenda e marque quantos dias faltam até o próximo encontro com ele (aliás, só faltam CINCO DIAS).

5. Dê um jeito de ganhar na loteria para poder sair da escola e viajar para onde ele estiver, e nunca mais ter que passar tanto tempo longe dele.

6. Não importa o que você faça, NÃO procure na internet os vídeos da incrível estrela pop Leah Brown dançando e rebolando em volta do mencionado namorado na frente de milhões de fãs aos berros.

7. E NÃO pesquise o nome dele, não veja todas as coisas legais que ele está fazendo, enquanto você estuda para as provas.

Meus adorados leitores, mesmo que um dia eu sinta que posso publicar este blog e tirá-lo da privacidade, isso nunca vai acontecer.

Porque eu sei que não tenho o direito de confessar que me sinto insegura e nada bonita e mais que ciumenta, quando meu namorado é o cara mais fofo do mundo e não me deu nenhum motivo para esse tipo de sentimento, certo?

Digam que isso vai melhorar, pois não sei como vou sobreviver.

Garota Offline... nunca online xxx

1

Cinco dias depois

Devia ser proibido ter uma sala de provas com vista para o mar.

É justo ficarmos presos aqui dentro, com os dedos doendo de segurar a caneta por duas horas sem intervalo, enquanto lá fora a luz dança sobre as ondas e é tudo radiante e alto-astral? Como vou lembrar quem foi a quarta esposa do rei Henrique VIII, enquanto os pássaros cantam e eu juro que estou ouvindo a música alegre de um carrinho de sorvete aqui perto?

Balanço a cabeça, tentando me livrar da imagem de um sorvete de casquinha bem cremoso com um wafer espetado em cima, e tento invocar um link direto para o cérebro do meu melhor amigo, Elliot. Ele não vai ter dificuldade para lembrar de todos esses fatos e nomes em sua prova de história. Dei a ele o apelido de Wiki, porque sua cabeça parece ter a mesma quantidade de informações que a Wikipédia, enquanto minhas anotações de revisão desaparecem da memória com a rapidez de um Snapchat.

Suspiro e tento me concentrar na pergunta da prova, mas as palavras dançam na frente dos meus olhos, e não consigo entender minha caligrafia horrorosa. Espero que o professor tenha mais sorte na hora da correção.

Escolher história para a prova final nunca foi uma boa ideia. Na época, escolhi com base no que todo mundo parecia estar fazendo. A única matéria que eu sabia que faria de qualquer jeito era fotografia. A verdade é que não tenho ideia do que vou fazer quando terminar o colégio.

— Muito bem, pessoal, acabou o tempo — o professor avisa na frente da sala.

Minha boca fica seca. Não sei quanto tempo passei distraída, mas sei que não terminei de responder a todas as questões. Essas provas determinam que matérias vou cursar no próximo ano, e já estraguei tudo. Minhas mãos estão suadas, e não ouço mais os pássaros cantando lá fora. Só ouço os gritos das gaivotas. Elas parecem rir do meu fracasso. Meu estômago reage, e sinto que vou enjoar.

— Penny, você não vem?

Olho para cima, e minha amiga e colega de classe Kira está esperando ao lado da minha carteira. O professor já pegou minha prova, e eu nem percebi.

— Sim, só um segundo. — Seguro a bolsa e levanto.

E então, quando fico em pé, uma onda de alívio supera a náusea. Seja qual for o resultado, é isso: minha última prova. Acabou o ano letivo!

Estou sorrindo como uma idiota quando bato a mão na de Kira. Estou me sentindo mais próxima das minhas colegas de classe, em especial das gêmeas, Kira e Amara, do que estive em todo meu tempo de colégio. Elas se aproximaram de mim depois do drama no começo do ano, um sólido escudo de amizade para resistir à enxurrada de notícias. A imprensa surtou quando soube que eu estava namorando Noah Flynn, o astro do rock, e depois os jornalistas descobriram meu blog, desenterraram detalhes da minha vida privada e me chamaram de destruidora de lares, porque Noah estava, supostamente, namorando a estrela pop Leah Brown. Foram os piores dias da minha vida, mas os amigos me ajudaram a enfrentar a tempestade. E, quando tudo acabou, o drama havia nos aproximado.

No instante em que saímos da sala, Kira diz:

— Hambúrguer no GBK pra comemorar? Vamos passar lá antes do show. Você deve estar muito animada, vai ver o Noah outra vez.

Um arrepio familiar me faz estremecer. Estou animada, é claro que sim, mas nervosa também. Não vejo Noah desde o feriado de Páscoa, quando ele passou meu aniversário de dezesseis anos comigo. Agora vamos passar duas semanas juntos. E, embora isso seja a única coisa que eu quero, e a única em que consigo pensar, não posso deixar de me perguntar se vai ser do mesmo jeito.

— Encontro vocês no restaurante — digo. — Só preciso pegar umas coisas no escritório da srta. Mills e passar em casa pra trocar de roupa.

Kira aperta meu braço.

— Ai, meu Deus, também tenho que pensar no que vestir!

Sorrio quando ela se afasta correndo, mas a euforia de ter terminado as provas dá lugar a outro tipo de nervosismo. O tipo: "Será que meu namorado ainda vai gostar de mim?" Sei que eu deveria me sentir mais confiante e acreditar que Noah gosta de mim como eu sou, mas, quando seu primeiro namorado é um dos músicos mais famosos do planeta, é mais fácil falar do que fazer.

Os corredores estão quase desertos, e o único barulho é o guincho do meu All Star no assoalho de linóleo. Não acredito que esse é meu último encontro com a professora de fotografia, a srta. Mills. Ela esteve muito presente e disponível este ano, e é, provavelmente, a única pessoa com quem eu realmente me abri sobre o que aconteceu no Natal e no Ano-Novo, além dos meus pais. Mesmo com Elliot, às vezes omito algumas coisas. Ter ouvidos imparciais para me escutar nunca foi realmente um desejo, mas eu nunca soube que precisava deles.

Para piorar, tive um ataque de pânico no depósito que a srta. Mills converteu em sala escura improvisada. Aconteceu duas semanas depois da notícia sobre mim e Noah ter chegado à internet. Normalmente a sala escura me acalma, mas, não sei se por causa do cheiro das substâncias ou do espaço fechado — ou se porque a foto que eu estava revelando era do rosto bonito de Noah, um rosto que eu não veria pessoalmente por muito tempo —, quase desmaiei em cima dos produtos químicos.

Felizmente foi depois da aula, e ninguém viu a "Penny Pânico" em ação outra vez. A srta. Mills fez chá e me deu biscoitos, até eu começar a falar e não conseguir mais parar.

Desde esse dia ela tem me ajudado, mas eu sabia o que me ajudaria mais: meu blog. Escrever no blog sempre foi libertador para mim. Programei todos os futuros posts do *Garota Online* como privados desde o último que publiquei, "Do Conto de Fadas à História de Terror", mas não consegui ignorar a necessidade de compartilhar meus pensamentos com o mundo. O *Garota Online* foi minha expressão criativa e emocional por mais de um ano, e eu perdi essa via de expressão e a comunidade de leitores que passei a chamar de amigos. Eu sabia que os leitores do blog teriam me apoiado durante aquela fase, se eu tivesse pedido, como me apoiaram nos primeiros estágios de ansiedade.

Mas a única coisa que eu conseguia enxergar cada vez que fechava os olhos e pensava em atualizar o blog eram as pessoas cheias de ódio debruçadas sobre o teclado, prontas para me destruir. Muita gente me apoiava e me tratava bem, mas um comentário cruel era suficiente para me jogar de volta naquele buraco escuro. Eu nunca tinha me sentido tão paralisada antes, tão incapaz de escrever. Normalmente as palavras fluíam dos meus dedos como água, mas depois tudo que eu escrevia parecia truncado e sem sentido. Passei a escrever em um diário, mas não é a mesma coisa.

Tentei descrever esses sentimentos para a srta. Mills. Naquela espiral escura, as pessoas online se tornaram palhaços com maquiagem pesada e, quando sorriam, mostravam dentes afiados. Pareciam monstros que, em vez de espreitar na escuridão, estavam bem ali para todo mundo ver. Essas pessoas são todos os meus piores medos reunidos em um só. São um milhão de pesadelos. Elas me fazem querer pegar minhas coisas e ir morar numa tribo isolada na floresta Amazônica, no meio de índios que pensam que aviões são espíritos maus enviados pelos deuses. Elliot me falou sobre eles. Aposto que nunca ouviram falar em Garota Online ou Noah Flynn. Aposto que não conhecem Facebook. Ou Twitter. Ou vídeos virais que não desaparecem nunca.

Se eu vivesse somente em Brighton, na Inglaterra, estaria tudo bem. A maioria do pessoal da minha escola já esqueceu sobre o meu "escândalo" — assim como esqueceu o nome do ganhador do *X Factor* do ano passado. Meu pai diz que a notícia de hoje é o jornal que embrulha o peixe amanhã. E ele está certo: a novidade da descoberta do meu blog, e até do meu relacionamento com Noah Flynn, já está mais batida que o joelho do meu jeans favorito. Mas eu não vivo numa floresta no meio do nada nem estou isolada em Brighton. Não, eu sou uma cidadã do Planeta Internet, e neste momento esse é o pior lugar do mundo para estar, porque, na internet, tenho medo de que ninguém esqueça.

Pelo menos uma coisa boa eu tirei da internet. A Garota Pégaso e eu trocamos endereços de e-mail, depois que ela me apoiou, e ela passou de a mais fiel leitora do *Garota Online* a uma de minhas melhores amigas, embora ainda não tenhamos nos encontrado pessoalmente. Depois de me ouvir choramingar pela milionésima vez sobre como eu queria que o *Garota Online* ainda existisse, ela me disse que eu podia mudar as configurações de privacidade do blog, e só pessoas a quem eu desse a senha poderiam ler o que eu escrevo. Agora, Elliot, ela e a srta. Mills são as únicas pessoas que leem minhas divagações, e isso é muito melhor do que nada.

Consigo ver a srta. Mills pelo vidro deformado na porta de sua sala de aula, o cabelo castanho caindo para a frente enquanto ela se debruça sobre o trabalho. Bato na moldura da porta, e ela levanta a cabeça e sorri.

— Boa tarde, Penny. Já encerrou o ano?

Confirmo com um movimento de cabeça.

— Acabei de fazer a prova de história.

— Que ótimo! Entra.

Ela espera até eu sentar em uma das cadeiras de plástico. Em volta da sala, em placas pretas de isopor e prontos para a exposição de verão, vejo os projetos de fotografia dos meus colegas. Contra a vontade da srta. Mills, pedi para não expor meu trabalho. Fiz todas as tarefas, mas não suportei a ideia de mostrar minhas fotos para mais ninguém. A maior

13

parte dos alunos da turma postou o portfólio online, mas eu parei de subir minhas fotos depois do Natal. Fico apavorada com a possibilidade de alguém usar essas imagens para me zoar. Em vez disso, estou montando um portfólio impresso, que atualizo toda semana e entrego para a srta. Mills. Esse ato físico de criatividade tem sido muito terapêutico.

Ela devolve meu portfólio.

— Ótimo trabalho, como sempre, Penny — diz, sorrindo. — Por um tempo, essa é a última vez que nos encontramos, certo? Queria conversar com você sobre o seu último post no blog. Vai melhorar, viu.

Dou de ombros. Viver um dia de cada vez parece ser tudo o que consigo enfrentar neste momento.

Como se lesse meus pensamentos, a srta. Mills continua:

— Acho que você pode fazer muito mais do que sobreviver dia após dia. Pode desabrochar, Penny. Você passou por muita coisa nesse último ano. Fico feliz que tenha decidido continuar se esforçando por boas notas, principalmente em fotografia, mas acho que não precisa se preocupar muito com suas escolhas. Você ainda tem o direito de não saber o que quer.

Quero acreditar nela, mas é difícil. Parece que todo mundo tem a vida toda planejada, menos eu. Elliot não consegue se identificar com isso. Ele sabe que quer estudar design de moda e sonha com a grife que vai ter um dia. Acabei de descobrir que Kira quer ser veterinária, por isso estuda biologia e matemática, para ter certeza de que vai entrar em uma boa universidade. Amara é uma espécie de gênio da física e sempre quis ser cientista, está decidida. Tudo o que quero fazer é tirar fotos e escrever posts que só posso publicar em um blog secreto, para um grupo seleto de amigos mais próximos. Não acho que dê para fazer disso uma carreira.

Sei que tem um mar de possibilidades por aí, mas estou presa na praia, despreparada para mergulhar.

— Você sempre quis ser professora? — pergunto.

Ela dá risada.

— Na verdade, não. Eu meio que... caí de paraquedas nisso. Eu queria ser arqueóloga! Até perceber que arqueologia não é uma aventura de

Indiana Jones, e que muitas vezes é preciso ficar horas a fio identificando pequenos fragmentos de ossos. Passei muito tempo me sentindo perdida.

— É assim que eu me sinto — confesso. — Perdida na minha própria vida. E não sei nem usar uma bússola. Será que existe GPS para a vida?

A srta. Mills ri.

— Esqueça o que os outros adultos dizem. Vou te contar um segredo: você não precisa saber agora. Só tem dezesseis anos. Divirta-se! Viva a vida. Vire essa sua bússola interna de cabeça para baixo, até ela não saber mais onde fica o norte. Como eu disse, virei professora por acidente, mas hoje não consigo pensar em fazer outra coisa. — Ela se inclina para mim e sorri. — Ansiosa para o show hoje à noite? O pessoal das outras turmas não fala em outra coisa. O Noah não vai estar com o The Sketch?

Sorrio, satisfeita com a mudança de assunto. Meu coração parece flutuar quando penso em ver Noah outra vez. Tem um momento em que o Skype e as mensagens de celular não resolvem, e esse momento é agora. Também vai ser a primeira vez que vou vê-lo se apresentando ao vivo, diante de milhares de garotas histéricas.

— Sim, ele vai abrir o show. É muito importante pra ele.

— É, parece que sim. Bom, se cuida e aproveite o verão. E não esqueça da preparação para o nível A de fotografia. — Ela aponta meu portfólio. — Tem certeza que não quer expor? Você tem trabalhos incríveis, que merecem ser vistos.

Balanço a cabeça. Ela suspira, mas sabe que é uma batalha perdida.

— Bom, continue escrevendo no blog, Penny. Você tem talento. Sabe como se conectar com as pessoas, e não quero que perca isso. Vamos combinar que essa é sua tarefa de verão para mim, além das fotografias. Quando voltar, quero um relatório completo das suas viagens.

Sorrio e guardo a pasta do portfólio na bolsa.

— Obrigada por toda a ajuda que me deu este ano, srta. Mills.

Penso na tarefa de verão para a matéria dela. A srta. Mills pediu para procurarmos "perspectivas alternativas"; um desafio para vermos as coisas de um ângulo diferente. Não sei o que vou fazer, mas tenho certeza de que acompanhar Noah na turnê vai me abrir um milhão de oportunidades diferentes.

— Não foi nada, Penny.

Saio da sala e volto aos corredores desertos. Sinto o coração bater dentro do peito quando acelero o passo e começo a correr. Passo pelas portas até sair do prédio, então abro os braços e giro na frente do prédio. Fico vermelha quando penso como isso deve parecer cafona, mas nunca estive tão ansiosa pelo fim do ano letivo. A liberdade nunca foi tão boa.

25 de junho

As Provas Acabaram!
(E Como Sobreviver Quando Elas Recomeçarem)

Rufem os tambores, por favor... O ano letivo acabou! Chega! *Finito!*

Não foi tão ruim. Repito: não foi tão ruim. Mas eu tive ajuda (toda minha gratidão ao Wiki, meu maior parceiro!) para pensar em algumas estratégias e aguentar a pressão quando parecia que eu não fazia outra coisa além de estudar... estudar... e estudar mais!

Se eu não anotar essas estratégias agora, sei que vou esquecer quando chegar a hora das provas finais no ano que vem. Por alguma razão, por mais que eu tenha que fazer provas, sempre me apavoro, exatamente do mesmo jeito.

Cinco Dicas Para Sobreviver às Provas
(de Alguém que ODEIA Provas)

1. Revisão

Tudo bem, algumas pessoas podem dizer que essa é óbvia, mas esse ano criei um calendário, coloquei nele cada matéria e me dei um adesivo de estrela dourada sempre que completava uma hora de revisão. Foi como voltar ao ensino fundamental, mas ver todo o progresso que eu fazia (na forma de uma constelação de estrelas douradas espalhadas pelo calendário) me fez sentir muito mais confiança na minha preparação.

2. Subornos

Não é para subornar os professores ou o examinador, mas você mesmo! Sempre que eu concluía uma semana inteira de revisão (ver passo 1), ia à Gusto Gelato e comprava um gelato burger como recompensa. Nada como um doce para motivar!

3. Responda primeiro às perguntas difíceis

A principal dica do Wiki! Ele diz que é para se concentrar primeiro nas perguntas que valem mais pontos, para não ficar enroscado nelas no fim e acabar escrevendo bobagens na redação.

4. Café

Eu nem gosto de café, mas, de acordo com meu irmão, ajuda. Eu experimentei, mas cada gole que tomava me dava um arrepio, e eu acabava passando a noite toda acordada, atormentada por calafrios de ansiedade. Então, talvez essa não seja uma boa dica, afinal...

5. Pense no verão

Lembre que há vida após as provas! Basicamente, foi isso que me fez aguentar. Saber que, em breve, eu estaria outra vez com o Garoto Brooklyn...

Garota Offline... nunca online xxx

2

No caminho para casa, meu entusiasmo cresceu tanto que entrei na cozinha quase dançando. Teria sido bem apropriado, porque minha mãe está usando uma roupa brilhante do tipo *Dança dos Famosos*, girando pelo piso preto e branco, dançando salsa com Elliot. O namorado de Elliot, Alex, está sentado em uma banqueta perto da bancada, gritando a pontuação como se fosse o apresentador do programa.

— Sete!

Mais uma tarde normal na casa dos Porter.

— Penny, querida, você chegou! — minha mãe exclama entre um passo e outro. — Você nunca me falou que o Elliot dançava tão bem.

— Ele é um homem de muitos talentos!

Os dois terminaram com um cambré elaborado, com Elliot arqueando as costas e minha mãe sustentando o movimento.

Alex e eu aplaudimos com entusiasmo.

— Vamos subir? — convido Elliot e Alex.

Eles assentem, com um sincronismo quase perfeito.

Ver os dois me faz sentir uma dor conhecida. Elliot e Alex formam o casal perfeito, e não precisam lidar com as dificuldades de um relacionamento a distância, como Noah e eu. Podem ficar juntos sempre que quiserem, sem se preocupar com fuso horário, ou se o sinal do wi-fi é suficiente para manter uma conversa no Skype. Eles ficam completamente relaxados na presença um do outro.

Na verdade, passam tanto tempo juntos que minha família lhes deu um apelido de casal, como Brangelina ou Kimye. Eles são Alexiot.

— Alexiot jantam com a gente? — minha mãe pergunta antes de subirmos a escada.

— Não, vamos comer no GBK antes do show! — grito de volta.

— Vamos? — Elliot pergunta, levantando a sobrancelha.

Ai.

— A Kira convidou a gente. Tudo bem?

Alexiot se olham, mas parecem chegar a um acordo.

— Tudo bem, Pennylícia — Elliot responde. Depois segura a mão de Alex, e eu sorrio.

Lembro o dia em que eles se conheceram, pouco antes do Dia dos Namorados. Elliot havia me arrastado para uma loja de roupas vintage, em uma área obscura da Brighton Lanes, apesar de termos estado lá no dia anterior e sabermos que não haveria nada de diferente no estoque. Mas tinha um funcionário novo atrás do balcão. Demorei alguns segundos, até que o reconheci.

— Ai, meu Deus, Penny, ele é muito fofo! — Elliot me puxou para trás de uma arara de roupas e se cobriu com um enorme boá de plumas.

— É o Alex Shepherd — falei. — Ele estuda no meu colégio. É do último ano. — É claro que eu o conhecia, principalmente porque a Kira era muito a fim dele. Baixei o tom de voz. — Tem certeza que ele é gay?

Elliot revirou os olhos.

— Você acha que eu te traria aqui se não tivesse certeza? Estamos nos olhando desde que ele começou a trabalhar nesta loja, há duas semanas.

— Você olha pra todo mundo — comentei, dando uma cotovelada de leve em suas costelas.

— Não desse jeito. — Ele piscou para mim de um modo tão exagerado que tive vontade de rir.

— E aí, por que ainda não chegou nele?

— Vou chegar. Só... preciso de um tempo.

Kira ficaria arrasada quando soubesse que Alex jogava no outro time, mas acabaria superando. Ele era um pouco mais arrumadinho do que imaginei para Elliot, mas tinha um brilho endiabrado nos olhos que faria qualquer pessoa se derreter. Quando espiei pela lateral da arara, ele ainda olhava para nós, então levantei a mão e acenei.

— Penny, o que você está fazendo? — O sussurro de Elliot subiu pelo menos uma oitava no tom.

Eu sorri.

— Acelerando esse seu tempo. E sendo educada. Ele está olhando pra cá. Tudo bem, está vindo pra cá... Fica frio.

— Ele está o quê? — Elliot ficou pálido de pânico, mas ajeitou o cabelo. — Como eu estou? Eu sabia que não devia ter usado o chapéu de feltro hoje! É muito pomposo. Eu devia ter colocado alguma coisa mais descolada.

— Elliot, fica quieto. — Nunca vi meu amigo tão agitado antes. Puxei o boá, que parecia um animal peludo sentado na cabeça dele. — Seu chapéu é... — Não consegui terminar a frase, porque Alex apareceu do nosso lado.

— Posso ajudar? — ele perguntou com um sorrisinho, sem tirar os olhos de Elliot nem por um instante.

— Casa comigo? — Elliot resmungou.

— Oi? — Alex franziu um pouco a testa.

— Ah, nada... Só queria saber se você pode me ajudar a achar uma echarpe que combine com o meu chapéu. — Foi como se Elliot se tornasse outra pessoa. O nervosismo desapareceu diante dos meus olhos, e ele voltou a ser confiante, como sempre.

— É claro. Tenho uma aqui que combina com esse seu estilo *Grande Gatsby*. — Alex se dirigiu à outra arara da loja.

— Sabia que a mulher de F. Scott Fitzgerald se recusou a casar enquanto ele não arrumasse um contrato de publicação? — Elliot comentou enquanto seguia Alex.

— Não, mas sabia que ele era péssimo em soletrar — Alex respondeu rapidamente.

Vi os dois se afastando, falando de um autor que eu ainda não tinha lido (nem visto o filme baseado no livro). Era como se eles se conhecessem desde sempre. Decidi que era melhor deixar Elliot à vontade. Não queria atrapalhar.

No entanto, no mais puro estilo Penny, recuei bem em cima de uma arara e derrubei uma pilha de casacos e estolas de pele. Vermelha, comecei a recolher as peças, mas elas se misturaram todas. Eu tinha que estragar o momento de Elliot.

Os dois se aproximaram de mim.

— Eu cuido disso, não se preocupa — disse Alex.

— Eu ajudo — Elliot se ofereceu. Eles se abaixaram e pegaram a mesma estola de pele, e foi então que as mãos deles se tocaram. Quase pude sentir a fagulha de eletricidade no ar. Foi como aquele momento do espaguete de *A dama e o vagabundo* — e esse filme eu vi muitas vezes quando criança. Resmunguei algumas desculpas e tentei novamente sair da loja, mas dessa vez nenhum dos dois percebeu. Eles estão juntos desde então. E gosto de pensar que meu jeitinho desastrado ajudou um pouco.

Agora Alexiot precisam me ajudar a responder à pergunta crucial: O que vestir para encontrar seu namorado pela primeira vez em dois meses? Subimos a escada correndo até o último andar, onde fica meu quarto. Alex pula os degraus com aquelas pernas compridas. Ele é muito mais alto que Elliot e eu.

— Hum, Penny... você não vai viajar amanhã para a turnê? — Alex pergunta quando chega ao topo da escada e para na porta do meu quarto.

— Por quê?

Mas eu sei exatamente o que ele quer dizer. É como se um tornado tivesse passado dentro do meu quarto. Todas as peças de roupa que já usei, cada echarpe, cinto e chapéu, estão em cima da cama, formando uma pilha. Em cima da mesa, montanhas de folhas de papel com as anotações que fiz estudando, e, no chão, como que um tapete de retalhos de papelão que usei para montar meu portfólio final de fotografia.

O único lugar vazio no quarto é a poltrona ao lado da janela, onde prendi uma foto que recortei de uma revista de celebridades — Noah com um braço sobre meus ombros. A legenda anuncia: "Noah Flynn e a namorada". É a primeira vez que minha foto é publicada em uma revista, e, apesar do cabelo horroroso, guardei o recorte de recordação. Também tem um calendário quase completamente coberto de estrelas douradas, com o dia de hoje marcado com um círculo vermelho.

Elliot anda na ponta dos pés em meio ao caos.

— Caramba. Mar Forte não sabe fazer mala.

"Mar Forte" é o nome que Elliot e eu criamos para o meu alter ego, ao qual eu recorria sempre que me sentia ansiosa, como Beyoncé costumava adotar "Sasha Fierce" como uma presença protetora no palco. Beyoncé não precisa mais de Sasha, e um dia espero não precisar mais de Mar Forte. Mas, por enquanto, me agarro ao nome como um colete salva-vidas que me mantém à tona nos mares tempestuosos da minha ansiedade.

Aponto para minha cama.

— Hum, senta um pouco. — Eu me empoleiro sobre uma pilha de macacões na cadeira da penteadeira.

— Tenho medo que você esteja escondendo o cadáver da Megan embaixo disso tudo — Elliot comenta, torcendo o nariz.

Mostro a língua para ele.

— Até parece.

Megan era minha melhor amiga quando entrei na escola, mas ela mudou, se transformou em uma garota consumista, autocentrada e obcecada por garotos, alguém que eu não reconhecia mais. No ano passado ela ficou com ciúme do meu suposto relacionamento com Ollie, um garoto por quem eu tinha uma enorme queda antes de conhecer Noah. Não havia acontecido nada entre nós, mas mencionar o assunto era suficiente para deixar Megan maluca de ciúme. Foi Ollie quem descobriu meu blog, então anônimo, reconheceu Noah Flynn e contou a Megan. Ela, por sua vez, juntou os fatos e os levou para a mídia, me expondo para a imprensa e para o público.

Mas eu retaliei quando, com Elliot, confrontei Megan e Ollie em um café, situação que acabou com nosso milk shake na cabeça deles. Desde o Escândalo do Milk Shake, não tive mais contato com ela. Notícias do incidente, que ainda é meu momento de maior coragem e defesa pessoal, se espalharam pelo colégio como fogo na floresta.

23

Mas garotas como Megan não perdem a popularidade por muito tempo. É como se a autoconfiança sempre superasse tudo, e coisas ruins ou constrangedoras escorressem delas como água das costas de um pato. Ela até faz piada sobre como sorvetes são o segredo de sua pele macia. E agora recebeu uma carta de aceitação da melhor escola de artes dramáticas em Londres. Voltou a ser intocável e está novamente no topo do mundo.

Até Ollie vai sair do nosso colégio. A família dele decidiu mudar para ajudar o irmão a passar para a próxima etapa em sua carreira de tenista. Lamento por ele. Mesmo depois de tudo que ele me fez, não acredito que seja uma pessoa ruim. E agora vai ter que viver à sombra do irmão. Meus dois "inimigos" saíram de cena, simples assim. O único desafio que ainda preciso superar sou eu mesma.

Elliot bate palmas. Ele agora entrou no modo organizador Monica, da série *Friends*.

— Muito bem, cadê a mala?

— Hum, acho que o Alex está sentado nela.

Alex levanta depressa e puxa a pilha de roupas embaixo dele. As laterais da minha mala cor-de-rosa finalmente ficam visíveis sob a confusão das minhas coisas.

— Quanto tempo você vai passar fora? — Alex pergunta, assustado com o tamanho da mala.

— Catorze dias, três horas e vinte e um minutos — Elliot responde por mim. — Vou contar cada segundo!

— Acho que meus pais também vão — comento com um sorriso acanhado.

— Eles demoraram muito pra aceitar a ideia? — Alex pergunta.

— Ah, só dois meses, desde que o Alex sugeriu na Páscoa! Pra ser sincera, eu também não tinha certeza se ia conseguir. — Sair em turnê com o Noah é uma coisa gigantesca. Vai ser a primeira vez que viajo sozinha, sem a família. E, apesar de cada detalhe ter sido examinado com toda atenção, eu ainda me sinto nervosa.

— É claro que você vai conseguir. Vai ser uma experiência incrível, e estou morrendo de inveja. Agora, Penny, abre a mala e mostra o que você vai levar.

Sigo as instruções e me arrependo quando vejo a primeira peça. Elliot pega o maior cardigã de lã que alguém já viu, com mangas largas e confortáveis que podem me envolver quase com duas voltas. É da minha mãe, que o usava, como ela diz, *só* quando estava grávida, nunca antes ou depois disso.

Elliot pega o agasalho e o segura com os braços esticados. O cardigã ultrapassa seus joelhos.

— Você sabe que essa turnê vai acontecer no auge do verão, não sabe? Por que tem que levar um rebanho inteiro de carneiros?

Pego o cardigã das mãos dele.

— É o meu suéter do conforto. — Aperto a blusa contra o rosto e sinto o cheiro de perfume da minha mãe. É o cheiro de casa. — Ajuda com a ansiedade. A srta. Mills disse que, se eu tivesse medo de ficar ansiosa e com saudade de casa durante a turnê, devia levar alguma coisa que fizesse me sentir segura. O suéter lembra a minha casa. Levar meu edredom não seria muito prático, então o cardigã é a segunda opção.

Ele pega o agasalho de volta, dobra com cuidado e guarda na mala.

— Tudo bem, pode levar esse. Mas aquela não! — Pega uma camisa social rosa-bebê com bolsos de um tecido preguiado estampado com rosas. — Você vai acompanhar uma *turnê*, não vai tomar chá da tarde com a sua avó!

— Tudo bem, essa fica. — Dou risada. — Não sou boa nisso.

Elliot massageia as têmporas de um jeito dramático.

— Às vezes acho que você é uma causa perdida, Penny. Vamos ter que cuidar disso depois. Agora temos coisas mais urgentes para tratar. Por exemplo, o que você vai vestir hoje à noite?

Agora é minha vez de ser dramática.

— Já experimentei tudo que tenho, literalmente! E não achei nada. Você acha que fica legal se eu vestir uma regata preta com calça jeans?

Elliot faz uma careta de desaprovação.

— De jeito nenhum.

— E isso aqui? — Alex pega um vestido godê preto que eu esqueci que tinha, com pequenas margaridas estampadas em branco e amarelo.

Comprei na ASOS em um dia em que deveria estar estudando com Kira e Amara, mas nunca usei.

— É perfeito! — diz Elliot. — Senhoras e senhores, eu lhes apresento Alex, meu namorado e incrível estilista.

Alex dá de ombros.

— Ah, eu trabalho em lojas de roupas há muito tempo, acabei aprendendo alguma coisa.

Pego o vestido das mãos de Alex e corro para o banheiro. Vestida com ele, paro na frente do espelho para ver como ficou.

Não acredito que finalmente vou ver Noah no palco. Tenho a sensação de que nós dois estamos esperando e morrendo de medo desse momento, desde que ele foi convidado para abrir os shows da turnê do The Sketch. Solto o cabelo longo e ruivo do coque, e ele cai em ondas em torno do meu rosto. Minha mãe me ensinou um truque com o delineador, e eu experimento agora, puxo a linha para cima e um pouco além do canto externo do olho. Imediatamente, meus olhos parecem mais oblíquos, como os de um gato. Talvez eu consiga, afinal. Meu novo slogan: "Namorada do Noah Flynn".

Acho que estou ficando maluca, porque as primeiras notas do álbum de Noah começam a tocar na minha cabeça. Abro a porta do banheiro e descubro que Elliot e Alex estão ouvindo "Elements", uma das oito canções de *Garota de Outono*. Cada música de Noah é melhor que a anterior, mas a faixa-título, "Garota de Outono", escrita para mim, ainda é minha favorita, é claro.

Alexiot estão de mãos dadas, e Elliot descansa a cabeça no ombro de Alex. Eles são muito fofos, e não quero atrapalhar. Mas Elliot deve ter me ouvido, porque olha para trás, para mim, e seu queixo cai.

— Você está um arraso, Mar Forte!

— Ah, obrigada — respondo, me curvando numa mesura rápida.

— Muito bem, gatinhos... vamos quebrar o palito do pirulito — Elliot fala com um sotaque estranho.

Alex e eu olhamos para ele, sem entender.

— Que foi, não gostaram do meu americanismo? Achei melhor ensaiar um pouco antes de encontrar o Noah outra vez. Agora, acessórios.

— Ele coloca várias pulseiras no meu braço e um colar comprido no meu pescoço. Depois sorri para mim. — Só precisa do Converse no pé, e pronto.

Olho para o espelho de corpo inteiro do quarto.

— Ficou ótimo, Pen. Perfeito — diz Elliot. — A Leah Brown pode ser a pop star mais gata do planeta, mas você não deve nada pra ela.

Sorrio e digo a mim mesma que estou bonita. E estou. Eu me sinto confiante. Mas ainda pego uma jaqueta para pôr em cima do vestido. Elliot faz uma careta.

— Que foi? Pode estar frio no restaurante.

— Falando nisso, é bom a gente se apressar. — Elliot olha para o relógio de pulso.

— Tom! — grito do alto da escada para o meu irmão. — Dá uma carona?

Ouço um grunhido que interpreto como um sim. Mas, quando saímos, Alex não entra no carro. Ele põe as mãos nos bolsos.

— Tenho que passar em casa primeiro. Encontro vocês no show, tudo bem?

A felicidade de Elliot desaparece, os ombros se curvam.

— Tem certeza? — pergunto. — Sei que deve ser superchato jantar com um bando de gente do penúltimo ano, mas a maioria é legal.

— Não é isso. Tenho uma coisa pra fazer.

— Ah, tudo bem.

Ele se inclina para beijar Elliot rapidamente, mas meu amigo não retribui com animação. Depois, quando Alex vai embora, ele dá de ombros e recupera imediatamente o entusiasmo habitual.

— Vamos!

* * *

Alguns minutos mais tarde, paramos na frente do GBK, graças ao motorista Tom. Elliot pula do carro, e, quando me preparo para descer também, Tom segura o meu braço.

— Se você se meter em confusão ou precisar de alguma ajuda, me liga na hora. Entendeu, Pen-Pen?

Abraço meu irmão, que aceita o contato com os ombros tensos. Mas eu sei que ele me ama.

Em uma noite de sexta-feira, Brighton está cheia de gente voltando do trabalho em Londres ou saindo para uma noite de diversão. Tem um garoto que parece mais novo que eu tocando violão na calçada. Ele canta baixinho, mas tem uma voz incrível. Ninguém mais para e olha, nem mesmo Elliot, tão entretido no próprio mundo que poderia passar pela Orquestra Sinfônica de Londres sem perceber. Mas eu paro. Estou encantada com a música do garoto.

— Posso tirar uma foto? — pergunto, quando ele termina de cantar.

— Pode — ele responde.

Faço algumas fotos, depois tiro uma libra da bolsa e a ponho no estojo do violão. Ele sorri, agradecido, e corro para o restaurante quando começa a chover forte. Típico verão britânico.

Lá dentro, todo mundo está esperando. Elliot corre ao meu encontro e me faz parar.

— Não pira — ele diz.

— Quê? Como assim?

Franzo a testa, e ele dá um passo para o lado.

Megan está atrás dele.

E com um vestido exatamente igual ao meu.

3

Seguro a jaqueta fechada para esconder parte do vestido. Megan sorri, surpreendentemente tranquila, mas deve ser porque o constrangimento já me deixou vermelha como um tomate. Quase viro e saio do restaurante, mas Elliot segura e aperta minha mão.

— Ai, Penny, estamos usando vestidos idênticos! — Megan exclama enquanto joga os longos cabelos castanhos. — Também comprou na ASOS? Melhor o Noah não me ver primeiro, ou pode ficar confuso e dar o passe do camarim pra mim!

A piscada exagerada que ela me dá revira meu estômago. Não consigo deixar de pensar que ela fica muito melhor que eu naquele vestido.

— Vê se cresce, Megan. É só um vestido, não um transplante de cérebro que vai fazer de você uma pessoa melhor — Elliot provoca.

Kira está sentada à mesa atrás de Megan. Ela sorri para mim como se pedisse desculpas e dá de ombros. Sinto uma pontada no coração quando penso que Kira pode ter contado a Megan sobre o vestido que comprei. Mas em seguida digo a mim mesma para não ser tão paranoica.

— Legal que você conseguiu vir, Penny! — Kira fala. — O Noah também vem?

Sinto todo mundo olhando para mim. Até as pessoas das outras mesas. Dou uma risada nervosa.

— Ah, acho que não. O Noah está ocupado demais se preparando pro show. Vou encontrar com ele depois.

Elliot me puxa pelo restaurante e vamos nos sentar em uma mesa bem longe deles, tomando cuidado para não parecer grosseiros. É como se todo o meu colégio e metade do de Elliot fosse assistir ao show. É claro que todo mundo está animado para ver Noah Flynn, mas a banda principal, The Sketch, é um grande sucesso no momento. O grupo é formado por quatro garotos dos Estados Unidos e explodiu no ano passado com a canção "There's Only One". Eles já fizeram shows em Manchester e Birmingham, mas este é o primeiro que Noah vai abrir. Depois ele parte com o The Sketch pela Europa, e eu vou com ele.

Pensar nisso me faz tremer de nervosismo e ansiedade.

Elliot e eu sentamos em lados opostos da mesa.

— Ai, não acredito que tenho que ficar no mesmo ambiente que a Mega-Nojenta — diz Elliot. — Por que você topou encontrar todo mundo aqui?

— A Kira me convidou, e não consegui pensar em uma saída. Todo mundo vai ao show, e achei que fazia sentido irmos juntos. Além do mais, é no Brighton Centre. Lá é tão grande que espero não topar com nenhum deles — respondo.

— Sabia que o Brighton Centre acomoda quatro mil e quinhentas pessoas e foi o último lugar onde o Bing Crosby se apresentou antes de morrer?

— É o cara que cantava "White Christmas"? Como você sabe essas coisas, Wiki? — pergunto, rindo.

— Eu sei tudo, srta. Penny P. E você sabe disso. Pelo menos nós vamos ficar no camarote vip — Elliot comenta sorrindo, mostrando o ingresso. — Primeira classe, aí vamos nós! — Ele dança na cadeira. — Caramba, se eu estou uma pilha, como será que o Noah está se sentindo?

— Ele nunca fica nervoso! — Mas não sei se é verdade. Nunca o vi no palco antes, não diante de uma plateia tão grande. — Só sei que ele está superanimado. É a chance dele de estourar na Europa.

— É, todo mundo vai saber quem ele é depois de se apresentar com o The Sketch. Até alguém como você saberia!

Sorrio, mas as palavras de Elliot me desconcertam. É estranho pensar que há apenas seis meses eu não tinha nem ideia de quem era Noah

Flynn, e agora todo mundo vai saber que ele existe. Quase me perdi na avalanche da mídia uma vez. *Será que vou conseguir continuar com Noah, mesmo com o furacão que está por vir?*

— Já conheceu o resto da banda? — Elliot pergunta.

Balanço a cabeça.

— Ainda não, mas sei que o Noah toca com alguns dos melhores amigos.

— Queria muito poder ir com você — Elliot confessa, baixando o olhar.

— Eu também queria muito que você fosse! Mas você vai viver uma experiência incrível na CHIC — eu o lembro. Elliot espera ansiosamente por esse estágio desde que descobriu que havia sido o escolhido, no começo do ano.

— Sabia que a CHIC foi fundada em 1895?

Toco a mão de Elliot em cima da mesa. Sei quando ele está recitando fatos por nervosismo, não por diversão.

— Você vai arrebentar — falo para deixá-lo mais calmo.

A garçonete se aproxima para anotar nosso pedido, mas estou tão nervosa que não consigo pensar em comer. Pego o cardápio e aviso que ainda não escolhemos, e quase imediatamente me arrependo, porque, quando a garçonete se afasta, a pessoa que mais me apavora se aproxima.

— Oi, Penny.

Abaixo o cardápio lentamente.

— Ah, oi, Megan.

Elliot a fuzila com os olhos, mas Megan o ignora. Ela está olhando para mim.

— Pena a gente estar usando vestidos iguais. Quer que eu troque? Posso passar em casa antes do show.

Esse é um lado de Megan que eu não esperava ver: o lado simpático e doce. Por um momento, vejo um flash da garota que conheci. Mas é difícil separá-la da outra, a que tentou destruir minha vida no começo do ano. É como duas fotografias sobrepostas, duas revelações em tamanho natural. Ainda não sei qual delas é a verdadeira Megan.

31

— Não, tudo bem. Pra falar a verdade, é até meio engraçado — respondo.

Ela sorri para mim, e o sorriso parece sincero.

— Então, eu estava pensando... — diz, e de repente seu sorriso muda, parecendo o de um tubarão de dentes afiados. É claro que ela tem outro motivo para estar ali. — Você acha que pode levar a Kira, a Amara e eu ao camarim mais tarde? Queria muito conhecer o The Sketch.

Franzo a testa. Elliot faz um muxoxo alto e revira os olhos.

— Ah, não sei... Eu teria que falar com o Noah — respondo.

— Por que não fala?

— Como assim?

Ela levanta uma sobrancelha.

— Por que você não manda uma mensagem pra ele? Você tem o número do celular do seu namorado, não tem?

— A Penny não tem que fazer favores pra você — Elliot declara.

— E eu não estou falando com *você*, Elliot — ela se irrita. — Estou falando com a minha *amiga*.

— Ah, tudo bem... — Ameaço pegar o celular no bolso, mas Elliot me impede com um olhar firme. Respiro fundo algumas vezes, depois olho para Megan. — Eu falo com o Noah mais tarde, mas não posso prometer nada — digo, mantendo o celular no mesmo lugar.

Megan hesita. Quando vê que não vou mudar de ideia, dá de ombros, como se não fosse muito importante.

— Bom, obrigada... Depois a gente se vê, Penny. — Ela se afasta, ainda sorrindo para mim. No entanto, o jeito como falou com Elliot me fez perceber que ela não mudou nada.

Tiro o celular do bolso e leio as últimas mensagens que troquei com Noah.

Mal posso esperar pra te ver hoje à noite! N

Eu também! Faz muito tempo xxxx

Como se soubesse que eu estava lendo as mensagens, Noah manda mais uma:

Como vc vai pro show?

A pé. Com Elliot e alguns amigos do colégio
xxxx

Vai nada. N

A mensagem me deixa intrigada.

— Que foi? — Elliot pergunta, notando minha expressão confusa. Mostro a tela do celular.

— "Vai nada"? Como ele espera que eu chegue lá?

Elliot dá de ombros, mas de repente sua boca forma um "O" de surpresa. Ele arregala os olhos para a porta do restaurante atrás de mim.

— Que foi? — é minha vez de perguntar.

Antes que ele consiga me responder, os gritos dominam o lugar. Ouço a voz de Kira:

— NOAH FLYNN!

Viro na cadeira e olho para trás.

Lá está ele: meu namorado, Noah Flynn. O deus extraordinário do rock. Ele veste a camiseta preta que é marca registrada, jeans rasgado e exibe um largo sorriso. Quando o vejo, tudo desaparece: o restaurante, meus colegas do colégio e Elliot. Como uma câmera dando zoom, meus olhos tiram do foco todo o resto e se concentram nele.

Noah me vê e seu sorriso fica ainda maior. Ele vem em minha direção e, ignorando os gritos e as expressões de espanto das garotas nas outras mesas, segura minhas mãos e me faz levantar.

— Penny Porter, se importa se eu te levar daqui?

— Nem um pouco! — respondo, porque não tem nada que eu queira mais do que sumir com ele. Mas olho para Elliot. — Espera, você vai ficar chateado?

Elliot ri.

— Claro que não, Pennylícia! Nem quero hambúrguer. Estou pensando em virar vegano. — E abaixa o tom de voz: — Vou procurar o Alex. Estou longe dele há uma hora e meia, e acho que vou ter um treco.

Ele levanta e Noah o abraça.

— Elliot, cara! Que bom te ver.

— Bom te ver também, Noah! Você vai arrebentar naquele palco hoje. — Elliot olha para mim. — E você, não vai esquecer de mim aqui quando estiver pelo mundo com os ricos e famosos, ouviu, Penny?

— Nunca! A gente se vê no show. — Sorrio para Elliot, depois seguro a mão de Noah. Acompanhados pelo olhar chocado de todos os meus amigos, saímos do restaurante em direção ao carro que está esperando na porta. É hora do show.

4

Em pé ao lado da porta do passageiro do carro preto, segurando um grande guarda-chuva preto, vejo um homem corpulento, com uma careca tão brilhante que tenho quase certeza de que posso retocar a maquiagem olhando para ela.

— Esse é o Larry — diz Noah. — Ele pode parecer meio assustador, mas canta todas as músicas da Whitney Houston nas horas vagas, e prefere um banho de espuma a uma boa ducha. — Noah dá um soquinho simpático no braço do guarda-costas antes de entrar no carro. — Não é verdade, Larry?

— Sim, senhor — ele confirma. — E você deve ser a Penny. — Uma piscada simpática, e já me sinto à vontade. Sei por que Noah quis me tranquilizar com relação a Larry. Ele é o tipo de homem que a gente vê na porta de uma boate nas noites de sexta-feira, mantendo tudo em ordem. No entanto, pelo que Noah acabou de falar, é mais provável que ele seja encontrado *dentro* da boate — na máquina de karaokê, dançando pela pista com uma bebida rosa na mão — do que fora dela, separando brigas.

Imagino esse homem enorme cantando "I Will Always Love You" quando respondo:

— Oi! Sim, sou eu. E é um prazer conhecer você, Whitney. — Estendo a mão, mas fico vermelha quando percebo do que acabei de chamá-lo.

Não era assim que eu imaginava ser apresentada ao pessoal que trabalha com Noah. O que aconteceu com a sofisticação, a inteligência ou até com as palavras normais? Peço desculpas imediatamente, tentando salvar a situação, mas Noah interfere.

— Você não é a primeira que usa esse apelido para ele, Penny — ele fala, dando risada.

Larry pisca para mim, e eu sorrio, constrangida.

— Bom, de agora em diante, Penny, pode me chamar de Whitney. Só não espere que eu cante, a menos que você queira cantar também. — Larry senta ao volante e eu rio com ele, embora esteja nervosa.

O trajeto até o Brighton Centre não é longo, mas é bom estar com Noah, finalmente. Ele escorrega para o meio do banco para ficar perto de mim e passa um braço sobre meus ombros.

— É tão bom ter você do meu lado! — diz e me puxa para mais perto. — Como foram as provas?

Eu me arrepio.

— Nem queira saber! Mas acabaram. Nem acredito que esse dia chegou!

Eu me apoio em seu peito e sinto seu coração bater; não dá para não pensar que isso é muito melhor que o Skype. Olho para o queixo esculpido, para os olhos castanhos e o cabelo bagunçado. Como eu tive tanta sorte? Normalmente, sou a garota azarada que sempre é surpreendida pelo temporal sem um guarda-chuva, nunca foi sorteada em uma rifa da escola e sempre perde no jogo de Monopoly. Talvez a vida tenha reservado todas as minhas vitórias só para isso: para eu poder estar com Noah.

— Animada pra hoje à noite? — Ele aperta minha mão, e percebo que estava encarando Noah com cara de fascinada, como uma completa esquisitona.

— Ah... sim! Nem acredito. Você vai abrir o show de uma banda tão importante que até eu ouvi falar deles! — Ele fica meio pálido, e percebo que estou contribuindo para seu nervosismo. — Você vai arrebentar. Eu sei. Está nervoso?

— Seria mentira se eu dissesse que não, mas estou mais pilhado. Esse é meu sonho desde que eu tinha doze anos, e agora ele vai se realizar, e quem está comigo é a melhor namorada do planeta. — Ele beija minha mão, e eu fico vermelha. — A única coisa que eu queria é que meus pais estivessem aqui pra ver, sabia? — Noah vira para a janela molhada de chuva. Estamos passando pela orla, há nuvens escuras e pesadas no céu, e não posso deixar de sentir uma onda de tristeza por ele.

Os pais de Noah morreram poucos anos atrás em um trágico acidente de esqui, e eu sei que a dor ainda é recente para ele. Noah e a irmã mais nova, Bella, foram morar com a avó, a maravilhosa Sadie Lee, mas eu sabia que no coração dele haveria sempre um buraco grande o bastante para caber o oceano, um buraco que só a música podia ajudar a preencher.

— Eles estão muito orgulhosos de você, Noah, tenho certeza disso. — Aperto sua mão, e ele olha para mim com um sorriso. — Como estão a Sadie Lee e a Bella?

— Ah, estão ótimas. A Bella começa o primeiro ano em setembro, e minha avó está ocupada com o bufê. Ah, ela me pediu pra trazer uma caixa de cookies de chocolate pra você. Espero que tenham sobrevivido ao voo. Mas você vai ter que comer tudo logo. Deixei no camarim.

— Ela é um amor! — Quase começo a babar quando penso nos cookies de Sadie Lee. São os melhores que já provei. Levo a mão à boca depressa, caso eu esteja babando de verdade. Isso é realmente *tudo* o que Noah precisa ver: uma namorada babona e nada sexy. Ele toca meu queixo, me puxa delicadamente para perto e me beija pela primeira vez em três meses. Senti tanta saudade dele que isso quase me mata.

— Senti muita saudade de você, minha Garota de Outono linda e desajeitada — diz, como se lesse meus pensamentos.

— Tenho certeza que eu senti mais. Na verdade, sou capaz de apostar.

— Nunca pensei que você gostasse de apostas, Penny. Quer dizer, três horas naquelas máquinas caça-níqueis de que você me falou não é a mesma coisa... — Ele levanta as sobrancelhas e pisca para mim, depois se recosta no banco e me analisa com um olhar de apreciação. — Adorei esse seu vestido.

— Obrigada. E eu adoro essas suas covinhas.

— Bom, você vai ter que ver essas covinhas muito mais enquanto estivermos juntos na turnê. Estou superfeliz que você decidiu ir comigo, Pen. Vai ser a maior aventura!

— Bom, eu adoro aventuras... depois que passa a parte do avião! — Dou risada, mas não consigo disfarçar o medo que sinto quando penso em todos os voos que vamos ter que enfrentar durante a turnê. Noah reconhece a emoção em meus olhos quase imediatamente.

— Prometo que vou cuidar de você. Vai ser incrível.

As palavras dele me fazem sorrir. Não consigo acreditar. Tive muito receio de que as coisas não fossem mais as mesmas entre nós. Agora, tenho a sensação de que elas serão ainda melhores do que antes.

— Ei, Larry... falta muito? — Noah pergunta, inclinando o corpo para enxergar alguma coisa além do para-brisa, dos limpadores e da chuva forte.

— Não, é logo depois da esquina — Larry responde.

— Podemos passar na frente? Quero ver o movimento.

— Certo, chefe.

Noah sorri para mim, os olhos brilhando com um toque de malícia. É um olhar que reconheço, eu o vi quando nos conhecemos, e o resultado foi que ele me mostrou todos os lugares de que mais gostava em Nova York. Não sei o que ele está tramando, mas estou curiosa.

A fila do lado de fora do Brighton Centre já é bem grande, e Larry tem que reduzir a velocidade por causa do trânsito. As pessoas usam casacos impermeáveis, e algumas se aglomeram embaixo de guarda-chuvas para não ficarem encharcadas. De repente, fico ansiosa quando me dou conta da intensidade do que estou vendo. Meu namorado é Noah Flynn. Toda essa gente vai vê-lo cantar no palco, e, se as pessoas ainda não sabem quem ele é, saberão depois de hoje à noite. Algumas até seguram faixas com frases pintadas à mão: "CASA COMIGO, NOAH"; "NÓS TE AMAMOS, NOAH"; "DEIXA EU SER SUA GAROTA DE VERÃO".

Eu relaxo. Não me incomodo por alguém querer ser sua "garota de verão" (afinal, eu sou sua garota de todas as estações). Penso em como é bom para ele ter tantos fãs no momento em que abrir o show de uma banda tão famosa. A maioria daquelas garotas só o conhece por causa do YouTube, e cada uma tem uma participação importante no sucesso que ele é hoje. É claro, tem muita gente que está ali só para ver o The Sketch, cujos quatro membros parecem ter saído de um pôster da Abercrombie & Fitch. Sinto um orgulho enorme de Noah e dessa jornada maluca em que ele vai embarcar, e fico muito feliz quando penso que estarei ao seu lado.

Noah solta o cinto de segurança, e olho para ele, assustada.

— O que você vai fazer?

— Sair do carro e dar um oi!

— Está chovendo!

— Não faz mal! Estou mesmo precisando de uma ducha... E adivinha! — Ele estende a mão. — Você vem comigo.

— O quê?

— Quero que todo mundo veja a gente, e quero que você viva isso comigo. Volto em um segundo, Larry.

O carro para, Noah desce e me puxa. Hesito, mas, quando vejo seu sorriso radiante, eu me sinto mais forte. Abro a bolsa, pego a câmera fotográfica e saio do carro.

Meus tímpanos quase explodem com os gritos das fãs, e elas acenam frenéticas quando Noah se aproxima.

Tem alguma coisa mágica em vê-lo falando com as fãs. Seu rosto se ilumina, e ele não liga se está ficando molhado, se seu cabelo fica mais desgrenhado a cada minuto. Ele está muito à vontade, fazendo o que ama.

Ouço alguém gritar:

— Penny! Ei, aquela é a Penny! É a Garota Online!

Olho para as duas meninas que acenam para mim e aceno de volta, sorrindo. A sensação é muito estranha, e tem uma parte de mim que quer voltar correndo para a segurança do carro. Em vez disso, respiro fundo e começo a fotografar Noah, que abraça e cumprimenta algumas pessoas na fila. Minha câmera é como um escudo. *Você consegue, Penny*, digo a mim mesma. Dou alguns passos para trás, e as duas garotas que acenavam para mim agora estão do meu lado.

39

— Está animada pra ver o Noah tocar para tanta gente? — uma delas pergunta.

Assinto vigorosamente.

— Muito animada. Isso é tão maluco!

— A gente amava o seu blog! Você devia voltar a escrever logo — a outra opina.

— Ah, não sei. Mas sinto saudade. — Sorrio para elas com simpatia.

— Como é estar com Noah Flynn? — pergunta a primeira menina.

— É um sonho — respondo honestamente. Noah chama minha atenção e aponta para o carro. — Foi muito legal conhecer vocês — digo, e um segundo depois Noah pega minha mão e me puxa de volta para o veículo.

Aceno para as garotas pela última vez, depois olho para Noah. Ele tem aquele sorriso satisfeito no rosto. Tento imaginar o que está sentindo.

— E aí, tudo bem? — ele pergunta, preocupado.

— Sim, foi... incrível! — respondo e o abraço. Rimos quando a câmera bate no peito dele e temos que nos afastar. — Espera, quero guardar este momento — falo. Puxo Noah para mais perto e aciono a câmera frontal do celular para tirar uma selfie de nós dois. Olho para os rostos na tela e tudo que vejo são duas pessoas ridiculamente felizes, radiantes. Meu coração é invadido por um calor tão forte que tenho a sensação de que vou explodir. O melhor de tudo é que esse sentimento vai durar o verão inteiro.

5

Quando finalmente saímos do carro, o empresário de Noah, Dean, está do lado de fora, batendo um pé no chão e apontando o relógio de pulso. O cabelo dele é brilhante de gel, e, apesar de usar terno, os dois botões de cima da camisa estão abertos para criar um ar mais casual. Noah diz que esse é o jeito dele de se "aproximar da galera". Lembro imediatamente do meu antigo professor de teatro, que apelidamos de "Me-Chama--de-Jeff", por causa do esforço que ele fazia para os alunos pensarem que ele era descolado. Pelo menos Dean tem um emprego incrível.

— Oi, Dean! — cumprimento. É bom ver um rosto conhecido. Eu o conheci no feriado de Páscoa, quando Noah mencionou pela primeira vez a possibilidade de eu acompanhá-lo na turnê.

— Penny! Que bom te ver. — Ele me beija nas duas faces, e sinto o cheiro forte da loção pós-barba. — Vamos nessa, pombinhos. Não acredito que você foi lá na frente! Tem ideia do pesadelo que a turma da segurança viveu por sua causa?

Noah não se desculpa e dá de ombros.

— Já notou que está chovendo forte? Queria dar um oi pra todas aquelas pessoas que têm que ficar esperando lá fora.

Sinto que estou andando nas nuvens depois de ter conhecido todo mundo, e acho que Noah sente a mesma coisa. Não importa se estou toda molhada e desarrumada. Noah, é claro, está ainda mais lindo.

Dean revira os olhos, mas não parece bravo. Ele sabe que tudo isso é parte do charme de Noah. Foi Dean quem o descobriu no YouTube e conseguiu o contrato dele com a Sony. Desde então, ele tem sido quase como um pai adotivo, sempre ajudando Noah a superar as dificuldades decorrentes de ser uma sensação da internet. Foi Dean quem o colocou na turnê com o The Sketch, convenceu as pessoas de que ele estava pronto, mesmo que o próprio Noah não tivesse tanta certeza.

Dean também participou do plano de Noah para convencer meus pais de que eu poderia viajar com ele. O cara passou uma tarde inteira em nossa casa, garantindo aos meus pais que uma turnê de rock com Noah e o The Sketch não seria a loucura movida a drogas e álcool que os filmes de Hollywood e os programas de televisão mostram.

— Hoje em dia, com tantos smartphones, redes sociais e paparazzi, não dá pra correr nenhum risco que envolva o nosso talento — ele dissera. Achei estranho ouvir Noah ser chamado de "talento". — Se eles ameaçarem sair da linha, alguém vai filmar, o vídeo vai cair na rede e viralizar. Meu trabalho é impedir que isso aconteça.

Parece que aquela conversa tinha acontecido há muito tempo, e agora tudo estava se realizando. Eu mal podia acreditar.

Mas Dean me traz de volta à realidade.

— Noah, você sobe no palco em uma hora, não temos tempo para brincadeiras!

— Passei a tarde toda aqui ensaiando. Acho que tenho direito a um intervalo.

— Bom, você podia ter me avisado aonde ia, em vez de me deixar aqui, andando de um lado para o outro feito uma galinha sem cabeça!

Noah pisca para mim. Ele costuma sair correndo sem avisar à equipe para onde vai. Seguro uma risadinha.

A área dos bastidores é bem menos glamorosa do que imaginei. Na minha cabeça, teria muita mobília de couro e vários espelhos com iluminação, ou alguma coisa mais industrial, com canos de metal expostos e caixas de som em todos os lugares. Em vez disso, somos levados por vários corredores estreitos em direção a uma porta na qual alguém prendeu um papel que anuncia: "NOAH FLYNN". Atrás da porta tem um cômodo pequeno e pintado de bege, com dois sofás cinza e uma mesinha de centro. Só isso seria bem sem graça, mas o lugar ganha vida com a bagunça que domina o ambiente. Tem vários instrumentos em um canto, malas abertas com o conteúdo transbordando e jaquetas de couro largadas sobre o encosto do sofá. E fotos de pessoas famosas nas paredes, gente que se apresentou no Brighton Centre, de Bing Crosby (de quem sei tudo, graças a Elliot) a bandas mais modernas, como The Vamps, The Wanted e até One Direction. Talvez um dia a foto de Noah também vá parar lá.

— O camarim do The Sketch também é assim? — pergunto.

Noah balança a cabeça.

— Não, o deles é mais legal.

— Bom, faz sentido. Vou conhecer a banda?

Ele dá risada.

— Nem eu conheci os caras ainda! Sou só um coadjuvante, lembra? O empresário deles é pior que o Dean com a rédea curta. Eu ficaria surpreso se víssemos os caras durante a turnê, a menos que você tenha muita sorte. Espera, você não está pensando em dar um upgrade no namorado roqueiro, está?

Bato no braço dele e mostro a língua. Supero rapidamente a decepção por não poder conhecer o The Sketch assim que vejo as delícias em cima da mesa de centro. Tem uma tigela enorme de chocolate com recheio de pasta de amendoim, balas, várias garrafas de isotônico amarelo... e ovinhos de chocolate.

— Noah, como você conseguiu isso?

— Como assim?

— É verão, os ovinhos só aparecem na Páscoa! Aposto que é seu pedido de diva! — brinco.

— Vou ter que confiar no seu conhecimento sobre chocolates — diz Noah. Ele abaixa, pega um ovinho e joga na boca. Depois pega uma caixa embaixo da mesa, e, quando a abre, o aroma de cookies de chocolate invade o camarim. — Sadie Lee me fez prometer que eu entregaria a

43

caixa completa para sua inglesa favorita, que eu não comeria nenhum. Vou ter que me contentar com os ovinhos, é a segunda melhor opção.

— Nada é melhor que os cookies da Sadie Lee! — Pego um. Ainda estão macios por dentro. Eu seria capaz de comer todos, mas ofereço um a Noah e outro a Dean, que nos seguiu.

— Ei, quem quer cerveja?

Levanto os olhos da caixa de cookies e tem um cara parado na porta. A franja comprida e meio suja cobre boa parte da testa e ele veste camiseta preta, como Noah, mas tem muito mais tatuagens cobrindo os braços. Com uma das mãos, segura duas cervejas pelo gargalo. Sinto um arrepio na nuca, mas não sei explicar por quê.

— Não, cara, valeu — Noah responde. — Blake, essa é minha namorada, Penny. Penny, esse é o Blake, um dos meus melhores amigos e baterista da banda.

Blake nem olha para mim, ou, se olha, não dá para perceber, porque o cabelo cobre os olhos. Mas acho que ele resmunga alguma coisa para reconhecer minha presença.

— Oi — eu falo. Minha voz desafina, e agora vejo uma mudança na expressão de Blake, um sorriso debochado. O desânimo é imediato. Queria causar uma boa impressão nos amigos de Noah, mas só me sinto desajeitada e meio patética. Pela primeira vez, estou me sentindo deslocada.

Os outros dois membros da banda de Noah aparecem atrás de Blake, também bebendo cerveja, mas ambos são muito mais simpáticos e sorridentes. Noah os apresenta quando eles entram no camarim: o baixista, Mark, e o tecladista, Ryan. Noah e eu nos sentamos no sofá, Mark e Ryan nas poltronas à nossa frente, mas Blake se joga do lado de Noah, e eu fico espremida entre meu namorado e o braço do sofá. Ele dá uma cerveja para Noah, que pega a garrafa, mas, em vez de beber, a deixa sobre a mesa de centro.

— Estamos na Inglaterra, cara. Aqui pode — Blake comenta animado, antes de beber vários goles de sua garrafa.

Noah dá de ombros.

— Já falei que não quero.

44

Blake parece inclinado a insistir, mas Dean bate palmas uma vez, e todos olham para ele.

— Muito bem, esse é o primeiro show grande que vocês vão fazer, e gostei muito do que ouvi no ensaio. Repitam o que têm feito e vocês vão arrasar. Acho que não preciso explicar como isso é importante para o Noah e para todos vocês. Tudo pode mudar a partir de agora. Sem dor não há recompensa. Faltam dez minutos para o começo do show, então saiam daqui e vão se preparar. Chegou a hora de brilhar.

— Ele é sempre assim? — cochicho para Noah.

— Assim como, cheio de clichês antes de subirmos no palco? Sim, esse é o Dean. — Noah olha para o empresário. — Pode me dar um minuto?

— *Um* minuto — Dean avisa e estreita os olhos para nós, indicando que está falando sério. — Tudo bem, todo mundo pra fora.

— Todo mundo menos a Penny.

Dean concorda com um movimento de cabeça, mas Blake resmunga alguma coisa. Cada movimento dele parece relutante, mas ele se arrasta até a porta e sai atrás de Dean.

Quando ficamos sozinhos, Noah vira para mim, e tenho a impressão de que seu corpo transborda uma energia nervosa. E não é entusiasmo. Ele está preocupado.

— Penny, não sei se consigo subir no palco.

6

Essas eram as últimas palavras que eu esperava ouvir de Noah. As covinhas que são marca registrada sumiram, o queixo está tenso. O rosto perdeu a cor, e ele está roendo as unhas. Nunca o vi desse jeito antes. Ele levanta e anda pelo camarim, passa a mão pelo cabelo castanho.

Levanto e vou atrás dele. Para fazê-lo parar de andar, pego suas mãos. Ele para, mas sinto suas mãos tremendo nas minhas. Encosto a testa na dele, e respiramos juntos por alguns momentos. Depois seguro seu rosto.

— Você é *incrível*. É claro que vai conseguir. Você é Noah Flynn. Pode fazer qualquer coisa.

Ele me beija. É um beijo diferente do que trocamos no carro. Os lábios que pressionam os meus parecem vibrar com uma energia desesperada, como se ele esperasse que essa carícia nos transportasse para um mundo diferente, um mundo em que ele não tivesse de se preocupar com a apresentação para uma plateia de quatro mil e quinhentas fãs histéricas.

Quando finalmente nos afastamos, ele diz:

— Penny, é sério, não sei se vou conseguir. — A voz é tão baixa que mal consigo ouvir as palavras.

Alguém bate na porta.

— Seu minuto acabou, Noah! — Dean avisa, parecendo à beira de um ataque de pânico, mas não como meu namorado.

Noah cai sentado no sofá e segura a cabeça entre as mãos.

Vê-lo nesse estado faz meu coração doer. Quero abraçá-lo, envolvê-lo com alguma coisa quente e reconfortante, como o velho suéter da minha mãe, mas ele não pode subir no palco embrulhando em um cobertor (apesar de que, pensando bem, ele até poderia lançar moda). É nesse momento que tenho a inspiração. Talvez ele só precise disso: um objeto de conforto.

Olho em volta e vejo a coisa que, eu sei, sempre o faz se sentir em casa: o velho violão. O que ele trouxe do Brooklyn. O que tem a mensagem dos pais dele no verso:

Seja verdadeiro, M & P x

Pego o violão e me aproximo de Noah.

— Aqui. Pegue isso.

— Meu violão? Como isso vai me ajudar?

— Pegue — repito com mais firmeza.

Ele suspira, pega o violão das minhas mãos e passa a alça por cima da cabeça. Assim que o acomoda nos braços, toca uma corda. A música invade o camarim, e é como se fôssemos transportados para o porão da casa de Sadie Lee, em Nova York, só nós dois no nosso mundo. Vejo a tensão deixando seus ombros.

— Leve para o palco — sugiro.

— Como assim? — Ele olha para o violão.

— Foi com ele que você escreveu suas músicas, não foi? Leve o violão pro palco e toque os primeiros acordes nele. Depois, quando estiver aquecido, pode trocar para o violão de palco.

Noah fica em silêncio por alguns momentos, e chego a pensar que minha sugestão foi estúpida. Mas, em seguida, o rosto dele se ilumina.

— Penny, você é um gênio. — Ele levanta e me beija.

— Cuidado com o violão! — Dou risada.

— Vem, vamos sair daqui antes que o Dean tenha um infarto. — E desliza a correia do violão por cima do ombro.

Noah estende a mão para mim, e eu a seguro. Depois, com a outra mão, ele abre a porta.

Dean está apoiado na parede do lado de fora, com a cabeça entre as mãos. Ele levanta o olhar quando saímos do camarim.

— Ah, graças a Deus. Pronto?

— Sim, estou.

— Que bom. Você me deixou preocupado por um momento. — Dean começa a andar pela área dos camarins. Noah e eu o seguimos, desviando de fios presos ao chão com fita isolante e de pessoas com fones de ouvido que passam correndo por ali. Olho para cima. O cenário do show do The Sketch está suspenso sobre nós. Eles vão usar telões gigantescos que vão descer para o palco durante a primeira música. Noah me contou que eles contrataram ilustradores para desenhar em cima do palco enquanto a banda se apresenta, e os desenhos serão exibidos nos telões. Quase tropeço em um cabo, mas a mão de Noah aperta a minha com mais força e me segura.

Dean olha para trás.

— O que é isso? — pergunta a Noah.

— Meu violão. Vou usar na primeira parte da música. Vou começar *a cappella*, depois o Blake entra com a bateria e eu troco de violão, pego o de palco.

Dean para e vira para encarar Noah. Primeiro inclina a cabeça para o lado, depois assente.

— Boa ideia. Não é o que ensaiamos, mas vai ser como uma volta aos tempos de YouTube. Vou avisar o pessoal da banda e do apoio. Você nunca facilita a minha vida, Noah.

— E você não ia querer que fosse diferente — Noah responde, rindo.

Estamos na coxia. Consigo sentir a pulsação na plateia, todo mundo esperando com a respiração suspensa pela entrada de Noah.

Ele vira para mim, com os olhos brilhando. Agora tenho certeza de que o nervosismo ficou para trás, substituído pela adrenalina e pela animação.

— Obrigado, Penny. Não sei o que eu faria sem você.

Sorrio.

— A gente se vê depois do show — sussurro.

O palco escurece, e até a plateia fica em silêncio. Daria para ouvir um alfinete caindo. A expectativa pela apresentação de Noah é tão grande que não sei como ele consegue suportar.

Noah respira fundo, depois entra no palco escuro. Mal consigo ver sua silhueta da coxia. Ele ajusta o microfone no pedestal, movendo os pés até se sentir confortável. Então puxa o violão e toca o primeiro acorde. O som reverbera pelo teatro.

Um holofote se acende, e ele canta os primeiros versos de "Elements". A plateia de quatro mil e quinhentas pessoas explode numa gritaria ensurdecedora.

E, nesse momento, percebo que estou chorando.

7

— Penny, não quer ir sentar pra ver o show do Noah? — Dean está atrás de mim.

— Ah... oi? — A voz dele quebra o encanto. Ver Noah no palco é hipnotizante. Com grande relutância, desvio os olhos dele. — É, acho que sim. Como eu chego lá? — Vou para a área vip, onde estão Elliot e Alex.

— Siga por aquele corredor, você vai ver uma escada. Desce, passa pela porta, até chegar à área central. De lá vai ser fácil encontrar a área vip no andar de cima. — Dean usa um fone de ouvido e parece se distrair com alguma coisa que ouve, porque fica pálido e agitado como um brinquedo de corda.

— Tudo bem, obrigada. Entendi — respondo, demonstrando mais confiança do que sinto. Dean se afasta, e eu tento seguir as instruções. Sei que a apresentação de Noah não tem muitas músicas, e não quero perder nem um momento.

Começo a correr, tomando cuidado para não tropeçar no labirinto que são os bastidores, e passo pela porta que leva à área central. Sem mais nem menos, sou jogada no meio da plateia. Ali a música é muito mais alta que nos bastidores. As caixas de som são potentes, e as garotas (a plateia é praticamente toda feminina) gritam e se debruçam na grade que as separa de Noah. Elas tentam tocá-lo, os braços esticados, acenando,

50

desesperadas por um pedaço dele. Assim, deixam de ser indivíduos e se fundem em uma entidade dominada por uma excitação furiosa. Antes do show, houve um anúncio bem específico avisando que não é permitido jogar presentes no palco, mas já consigo ver algumas garotas jogando ursinhos e flores, e até um sutiã, aos pés de Noah.

A adrenalina me faz vibrar, mas é temperada pelo nervosismo. Os seguranças me empurram, porque não é permitido ficar na entrada dos bastidores, e eu mergulho ainda mais fundo na multidão. Olho para cima, para o camarote, e tento encontrar Elliot. Felizmente, não é difícil. Ele está bem na frente com Alex. Eles ouvem "Elements" olhando nos olhos um do outro, abraçados. É um momento tão lindo, tão raro, que meu coração vibra.

Eles se beijam, e eu pego o celular e os fotografo, lamentando ter deixado a câmera de verdade dentro da minha bolsa no camarim. A foto fica escura, mas consigo captar o clima, e mal posso esperar para mostrá-la a Elliot mais tarde. Ele vai amar. Há séculos ele quer uma foto dos dois juntos. Sempre que tento fotografá-los, Alex se esquiva, todo tímido. Ele ainda não contou nada aos amigos e à família, por isso evita demonstrações públicas de afeto. Elliot tem sido muito paciente com ele, e sabe, por experiência própria, que deve deixar Alex seguir seu ritmo, mas essa ainda é uma dificuldade com a qual os dois vão ter que lidar.

Alguém me empurra, e o celular cai da minha mão.

— Ei! — grito e me viro, mas a menina que me empurrou nem percebe. Está ocupada demais cantando a música de Noah e pulando. Procuro meu celular e o vejo embaixo dos pés dela.

Tento pegar o aparelho, mas a menina, sem querer, o chuta mais para a frente.

— Ai, desculpa! — ela grita, quando finalmente me nota.

— Tudo bem — respondo, mas as palavras parecem presas na garganta. Preciso achar meu celular. Abaixo e tento seguir o caminho pelo qual ele deslizou, mas, cada vez que penso que o encontrei, ele é chutado mais para a frente.

Alguém pisa nos meus dedos e eu me encolho, e essa fração de segundo é suficiente para eu perder meu telefone de vista. Juro que meu

51

coração para de bater por um momento. Então o vejo mais uma vez, em uma pequena clareira no meio de muitos pés. Abaixo para pegá-lo, mas, de novo, ele é chutado para longe do meu alcance. Em meio a um mar de pernas, vejo uma mão descer e pegar o aparelho.

— Ei, isso é meu! — grito. O desespero me domina, e vou engatinhando pelo chão, empurrando as pessoas e correndo o risco de ser pisoteada.

— Ei, o que você está fazendo?!

— O que é isso?!

Ignoro as reclamações e continuo atravessando a floresta de pernas nuas e jeans rasgados, mas é inútil. Meu celular sumiu.

Levanto antes de ser esmagada, procurando no meio da multidão o ladrão de celulares. Todos os rostos parecem iguais: olhos muito abertos e fixos no meu namorado no palco. Sou a única cujos olhos não estão em Noah. Alguém empurra meu ombro e me joga em cima de quem está atrás de mim. A pessoa grita comigo. Felizmente, a música é mais alta que suas palavras, mas sei que elas não são simpáticas.

— Desculpa — tento dizer, mas de repente me sinto sufocada. Não tem espaço para eu me mover, muito menos respirar.

Vejo a luz vermelha do aviso de SAÍDA acima do mar de cabeças e tento seguir até lá em linha reta. Tenho a sensação de nadar contra uma maré forte e ser arrastada pela correnteza que ameaça me puxar para baixo. Consigo ouvir Noah falando com a plateia entre uma música e outra, mas parece que ele está a quilômetros de distância.

De repente, alguém bate no meu ombro.

— Ei, você não é a menina daquele blog? A namorada do Noah? — A garota é loira e usa o cabelo preso de um lado em uma incrível trança rabo de peixe.

— Ééé...

— Ai, gente, é a namorada do Noah! — Rabo de Peixe reúne as amigas.

— Quem, a garota do blog?

— Onde?

— Você pode dar isto aqui pro Noah?

De repente, a menina e as amigas me cercam. Outras pessoas percebem minha presença, ou estão usando a comoção só para tentar se aproximar ainda mais de Noah no palco.

— Preciso sair daqui — digo, mas minha voz é um sussurro. Isso se transformou repentinamente no meu pior pesadelo. Parece que tem um milhão de mãos me empurrando para baixo, tentando me puxar em diferentes direções. A respiração é rasa. Não enxergo para onde tenho que ir. Todos os caminhos parecem iguais no meio da multidão, e todos me levam ainda mais perto dos rostos que me encaram. Não consigo mais nem ouvir a voz de Noah no meio da gritaria que ecoa dentro da minha cabeça.

— Penny? É você? — pergunta uma voz feminina.

Não sei quem é, mas minha resposta é um choramingo. A garota segura minha mão e começa a me puxar pelo meio da plateia.

— Vem comigo. Por aqui.

Eu me sinto uma idiota confiando nela. Tudo que vejo é uma cascata de cabelos compridos e castanhos, mas, quando ela consegue atravessar aquele mar de gente, esse sentimento é rapidamente substituído por outro: gratidão.

8

Finalmente saímos daquele oceano de meninas aos berros e chegamos ao corredor largo do lado de fora da área principal. Respiro fundo e apoio as mãos nos joelhos. Quando finalmente supero a confusão e a tontura, olho para cima. Para minha surpresa, é a Megan.

Ela parece sinceramente preocupada comigo.

— Ei, tudo bem? Tive a impressão de que você estava passando mal. — Ela toca minhas costas.

Meu sorriso é fraco.

— Não consegui enfrentar a multidão. Foi demais. Perdi meu celular, e de repente estava todo mundo em cima de mim...

— Você chorou? Sua maquiagem está borrada.

Esqueci que havia chorado ouvindo Noah cantar a primeira canção, e passo as mãos no rosto. Aquele momento na coxia parece que foi há um século, comparado ao ataque de pânico que acabei de ter. Quando a ansiedade me domina, é como se tudo desaparecesse, e minha mente só consegue pensar em *pânico, pânico, pânico.* Nada mais importa. Mesmo que o cérebro informe que a saída está a poucos passos de distância, a mente não escuta. É como se os dois fossem separados pela besta da ansiedade.

— Ah, não, nada a ver com isso. Chorei de alegria.

Megan sorri.

— Quer que eu te leve de volta pro seu lugar?

— Ah, quero. Fica lá em cima... mas... nem sei exatamente onde. — Só então me dou conta de que o ingresso não está comigo. Devo ter deixado no camarim de Noah, com a máquina fotográfica, a jaqueta, a bolsa e a entrada para os bastidores. Quando explico tudo a Megan, a frustração é inevitável. Não acredito que o entusiasmo me induziu a esse erro ridículo.

— Não se preocupa com isso. — Megan se aproxima do segurança mais próximo e joga o cabelo. — Essa é a Penny Porter, namorada do Noah Flynn. Ela deixou o ingresso dos bastidores no camarim e preciso ir buscar.

O guarda olha para nós duas com ar desconfiado.

— Sei, e eu sou o príncipe Harry.

— Senhor, por favor — falo. — Eu acabei de sair de lá pela porta na frente do palco...

— Mocinhas, por que vocês não vão assistir ao show como todo mundo? Parem com essa bobagem.

— Não é bobagem. — Megan consegue manter a aparência calma, mas eu me sinto à beira de um colapso. — Se puder localizar alguém da equipe do Noah, você vai ver que não é mentira.

Ele cruza os braços. Não vai ceder.

— Se não voltarem agora para a plateia, vou ser obrigado a tirar vocês daqui.

— Que humilhação! — Megan explode. — Quando o Noah souber, você vai ser demitido!

Eu a puxo para longe do segurança antes que ele nos algeme, ou sei lá o que pode fazer alguém com aquela aparência assustadora. Sinto que ele continua nos observando enquanto conversamos no corredor.

— Obrigada por ter ficado comigo, mas... acho que quero ir embora.

— Tem certeza? — Megan passa um braço sobre meus ombros. — Não quer voltar comigo e assistir ao show?

Balanço a cabeça.

— O Noah vai me encontrar, se eu estiver em casa.

— Tudo bem — ela concorda, com tom compreensivo. Sei que brigamos recentemente, mas ela ainda me conhece bem. — Eu vou com você, vou te acompanhar até a sua casa.

— Sério? Não precisa. Eu posso... — Eu ia dizer que posso telefonar para o Tom, mas não tenho mais essa opção, agora que perdi o celular. E não decorei o número dele. — Não é muito longe, dá pra ir a pé. Além do mais, você vai perder o The Sketch, e eu sei como você quer ver a banda tocando.

Megan engancha o braço no meu.

— Acho que você precisa mais de mim do que eu preciso ver o The Sketch. E eu também preciso de ar. Esse público é maluco.

A gentileza de Megan ainda me deixa desconfortável, mas não consigo identificar na voz dela nenhum sinal de má intenção. Caminhamos juntas em direção à saída.

Assim que saímos, descobrimos que a chuva agora é só uma garoa. Quando a brisa do mar de Brighton brinca com meu cabelo, também leva embora parte do meu pânico. Ainda sinto o peito apertado e minhas mãos suam, mas Megan segura meu braço como se tivesse medo de me ver sumir a qualquer momento. Eu não poderia me sentir mais agradecida.

— Quer comprar algodão-doce no píer? — ela pergunta. — O açúcar pode ajudar.

Sorrio e concordo com um movimento de cabeça.

— Boa ideia.

Passamos pelas luzes brilhantes na entrada do píer, e vejo as ondas quebrando lá embaixo pelas frestas entre as tábuas. Escolhemos a barraquinha que tem os algodões-doces mais coloridos e dividimos um enorme, branco e rosa. Puxo uma porção grande e fofa e ponho na boca, deixando o açúcar se dissolver e estalar na língua.

— Hum, que delícia — comento, depois abaixo a cabeça. — Obrigada por ter me ajudado. Você me salvou... Não sei o que eu teria feito.

Megan sorri, e seu cabelo dança batido pela brisa. Ela o empurra para trás e o prende em um coque relaxado no alto da cabeça. O resultado é legal e parece não ter exigido nenhum esforço.

— Imagina. Quer usar meu celular pra informar a sua operadora sobre o roubo do aparelho?

— Sim, obrigada. Ainda bem que tenho senha e não sobrou muito crédito pra usar. Espero que a pessoa que pegou encontre um jeito de devolver. Adoro aquele telefone. — *E tudo que tem nele*, penso. Fotos de Noah comigo. Mensagens. Até a capinha é especial. Uma noite, Noah a pegou sem eu perceber e desenhou com caneta marcadora preta no verso. Era minha capinha favorita.

Quando termino, eu lhe devolvo o celular.

— Pronto.

— Ótimo — ela suspira. — Escuta, Penny... faz tempo que eu quero conversar com você, mas não surgiu oportunidade.

— Como assim?

— Eu quero pedir desculpas. Por tudo que aconteceu no começo do ano. Aquela... não era eu. Desculpa por ter contado pra todo mundo sobre o *Garota Online*. Agora me sinto muito burra, porque eu gostava de ler o seu blog, e só estava com inveja porque você estava namorando um pop star. Pra mim, era como se você tivesse tudo. O Ollie, depois o Noah, aquela viagem maravilhosa pra Nova York, o lugar dos meus sonhos, onde eu quero viver pra sempre, e você ainda era uma escritora incrível e uma fotógrafa de talento. Todo mundo estava sempre falando que você era brilhante, que teria uma carreira maravilhosa... Eu tinha só um comercial horrível de cola em bastão e o sonho de ser uma estrela de cinema. Não devia ter descontado minha frustração em você.

Se minha boca não estivesse cheia de algodão-doce, estaria aberta. Engulo o doce, mas continuo sem fala.

— Você pode me perdoar? — ela continua, quando não falo nada.

— Eu... não imaginava que você se sentia assim. Sempre pareceu que era *você* quem tinha tudo, Megan. Você é bonita, popular, uma ótima atriz... Conseguiu uma vaga naquela escola famosa de teatro! Mas eu fiquei muito magoada com tudo que aconteceu...

— Eu sei. — Ela baixa o olhar. — Eu errei. Não sei o que aconteceu com a gente, Penny. Éramos tão amigas.

— Acho que a gente se afastou, só isso.

— Bom, se ainda tem alguma chance de voltarmos a ser amigas, eu topo.

Ficamos nos olhando por um momento, até Megan sorrir. É um sorriso tão carinhoso que não consigo evitar: movo a cabeça numa resposta afirmativa.

— Também quero ser sua amiga outra vez. — Sorrio e olho para o meu vestido e o dela. — Parecemos aquelas gêmeas que os pais vestem com roupas iguais.

Ela ri.

— Ah, não dá pra comprar bom gosto, certo? Vem. — Ela engancha o braço no meu novamente. — Todo mundo vai ficar preocupado sem saber onde você está. Vou te levar pra casa.

9

Quando chegamos em casa, todas as cortinas estão fechadas e o corredor está escuro. Fico confusa. *Meus pais saíram?* Então ouço vozes na sala e imagino que eles podem estar assistindo a um filme. Faço um gesto convidando Megan a entrar. A porta da sala range quando a empurro.

— Mãe?

Não esperava que ela pulasse do sofá ao ouvir minha voz.

— Meu Deus, Penny! — ela exclama com a mão no peito. — Você me assustou! Seu pai pôs um daqueles filmes de terror que ele sabe que eu não suporto!

Ela olha feio para meu pai, que dá risada. Ele sabe tão bem quanto eu que minha mãe adora um bom susto. Ela está é fazendo drama.

Depois da explosão, ela olha para mim e franze a testa.

— O que você está fazendo em casa? — Então olha para Megan, e dá para perceber que está fazendo um esforço enorme para não perguntar o que ela está fazendo aqui, depois de tudo que aconteceu com o *Garota Online.*

Não consigo evitar. Começo a chorar quando descrevo meu ataque de pânico e a sensação de claustrofobia no meio da multidão, e Megan acaba interferindo para contar as coisas que eu esqueci. Quando ela termina de explicar, meu pai acende a luz e levanta do sofá para ir fazer um chá. Em pouco tempo já me sinto muito melhor, e um novo sentimento começa a me dominar. Não é mais ansiedade. É culpa. Mesmo sem telefone, sem carteira e sem nenhum meio de me comunicar com ele, sei que Noah vai ficar maluco de preocupação quando descobrir que eu saí do teatro sem falar com ele.

— Vou subir e avisar o Noah que eu vim pra casa — falo.

Minha mãe assente, depois sorri para Megan.

— Com vão seus pais, meu bem? É bom te ver de novo...

Deixo as duas conversando e subo a escada correndo, pulando os degraus.

Assim que escrevo uma mensagem direta para Noah (é muito mais provável que ele olhe o Twitter, e não o e-mail), aproveito para dar uma olhada no meu blog. A aparente mudança de atitude de Megan me intriga, e sei com quem quero conversar sobre isso.

25 de junho

Você É Capaz de Perdoar e Esquecer?

Sei que é meu segundo post hoje, mas tenho a sensação de que nunca vivi um dia tão longo! Aconteceu tanta coisa.

Lembra quando escrevi sobre me afastar de uma amiga? E depois descobri que essa "amiga" era a pessoa que tinha me dedurado para a imprensa? (Sim, eu sei, com uma amiga assim, quem precisa de inimigos?)

Bom, ela se desculpou.

Dá para acreditar? Nunca pensei que viveria para ver esse dia.

Ela me ajudou quando eu não esperava ajuda de ninguém, e foi muito legal comigo. E, apesar de eu ainda estar procurando um motivo escuso, ela não parecia ter nenhum.

Foi legal, só isso.

Voltou a ser minha velha amiga.

Foi bom poder falar com ela. Isso é estranho? Será possível perdoar algo tão grave? Vou conseguir esquecer o que ela fez comigo?

Ela confessou que teve inveja de mim. Como isso? Acho que nem sempre a gente sabe o que as pessoas estão pensando, mesmo que elas nos deem a impressão de que entendem tudo.

Wiki, eu sei que você vai odiar quando souber disso.

Mas acho que quero perdoá-la. Não posso simplesmente jogar fora tantos anos de amizade...

Seja como for, eu volto para contar.

Garota Offline... nunca online xxx

❋ ❋ ❋

Troco o vestido por meu pijama de macacão mais confortável e desço. Meus pais voltam ao filme, e Megan e eu nos acomodamos no sofá para assistir também.

Não demora muito para alguém bater à porta, nervosamente. Meu pai vai abrir e Noah entra correndo.

— Penny, graças a Deus! — O rosto dele está branco como uma folha de papel. Vê-lo desse jeito faz meu estômago se contorcer. Ele me abraça. — O que aconteceu? Fui te procurar depois do show, e o Elliot falou que você nem tinha aparecido no camarote. Quando vi suas coisas no camarim, fiquei superpreocupado. Telefonei um milhão de vezes...

— Desculpa, Noah. Não acredito que perdi seu show. Fiquei tão entusiasmada que saí do ar, nem consegui pensar direito. Esqueci o ingresso, deixei tudo no camarim. Eu estava na plateia, alguém me empurrou, o celular caiu da minha mão, e de repente tudo ficou muito difícil. Ainda bem que a Megan estava lá pra me ajudar.

— Eu queria estar lá com você. Se eu tivesse visto...

— Teria pulado do palco? — eu brinco. — Você não ia poder fazer nada. E agora está tudo bem.

Ele me entrega tudo que deixei no camarim, e eu sorrio, agradecida. Só falta meu celular.

— Ei, Noah. — Levanto a cabeça ao ouvir a voz desconhecida e me surpreendo quando vejo Blake. — Agora que você já encontrou a garota, vou voltar pro hotel.

— Vai, cara, valeu pela força. Pode falar pro Dean que está tudo certo? E pede pra ele verificar com a segurança se alguém devolveu o celular da Penny. Tem uma capinha cor-de-rosa com um PP desenhado com caneta marcadora preta.

— Ah, Penny, eu também vou indo. — Megan levanta do sofá e acena, mas percebo que a atenção dela está completamente voltada para Blake, apesar de ser a primeira vez que ela encontra Noah. Apoiado no batente da porta, Blake tem um jeitão mais grunge e atrevido que Noah, e tem aquela confiança de astro do rock que só pode ser construída pela experiência de estar em cima de um palco, diante de uma enorme plateia. Com um jeito bem casual, Megan solta o coque, balança o cabelo, e percebo que Blake muda de atitude. Agora ele também presta atenção nela.

— Obrigada pelo chá, Dahlia.

— Não foi nada, Megan — responde minha mãe. — Obrigada por ter ficado com a Penny. É bom ver vocês duas juntas de novo.

— Foi um prazer. A gente se vê depois, Penny. — Megan sorri para mim, joga o cabelo de novo e empurra os ombros para trás para exibir o vestido que, apesar de ser idêntico ao meu, parece completamente diferente nela. Bom, o mundo não virou de cabeça para baixo. Essa é a Megan que eu conheço.

— Obrigada, Megan. Mesmo. A gente se vê.

Ela assente e sai. Blake vai atrás dela.

— O que *você* está fazendo aqui?

A voz aguda vem do hall. Elliot devia estar entrando quando Megan estava saindo. O momento não podia ser pior.

— Ajudando minha *amiga*, coisa que você não fez.

Meu gemido é um misto de gato estrangulado e doninha raivosa, e eu corro para a porta de casa. Não preciso de Megan e Elliot brigando agora.

— Elliot — chamo e olho para ele como se quisesse dizer que Megan pode ter se redimido, mas que ainda não tenho certeza de nada. Um olhar pode transmitir essa mensagem inteira? Não sei.

Ele parece entender, e essa compreensão só existe entre melhores amigos.

— A gente se vê, Megan — Elliot responde entredentes.

— Tchau — ela fala e vai embora, seguida por Blake.

— Cuidado para não bater essa cabeça enorme na porta! — Elliot grita para a porta fechada. Depois vira e olha para mim. Minha aparência

63

pode se resumir numa palavra: desastrosa. Vesti meu macacão de dormir preferido, o cabelo está um horror, os olhos continuam inchados de tanto chorar.

Voltamos para a sala de estar.

— Princesa Penny, o que aconteceu? — Elliot pergunta.

Decido contar a ele uma versão resumida da história. Posso deixar os detalhes para depois, quando estivermos sozinhos, e ele também vai ler meu post no blog. Por ora, tenho que considerar apenas meus sentimentos. Também percebo a expressão de minha mãe, a ruga que marca sua testa cada vez que falo sobre o ataque de pânico. Não estou acostumada com essa cara tão preocupada. Normalmente, minha mãe é tranquila, resolve os problemas sem se afligir com eles.

Mas sinto que estou deixando escapar por entre os dedos a chance de viajar com Noah nessa turnê. Se ela achar que não sou capaz de lidar com isso...

Meu pai serve mais chá na minha caneca da Disney. A estampa é do Leitão, meu personagem favorito. Seguro a caneca contra o peito e sinto seu calor se espalhar pelo meu corpo. Deixo os braços de Noah me ampararem. Ele me abraça com força, como se não quisesse me soltar nunca mais.

Elliot senta no chão, e meus pais escolhem as poltronas. Tenho a sensação de que vai começar um interrogatório. Meus pais trocam um olhar demorado antes de se virarem para mim e Noah.

— Acho que isso é exatamente o que tememos — meu pai começa com voz grave.

Minha mãe assente.

— Seu pai tem razão, Penny. Não podemos deixar você sair pela Europa agora.

10

— Mãe, quê? Não! — Meu queixo quase toca o chão.

— Não se as coisas vão ser desse jeito, Noah — minha mãe continua, e parece estar mais brava do que eu esperava que ficasse. — A Penny não vai poder voltar para casa a pé de um show em Berlim ou Paris! Você prometeu que ela seria amparada, que cuidariam dela. Se foi assim em Brighton, como vai ser no restante da Europa?

— Foi a primeira vez que eu estive nos bastidores de um show, mãe. Da próxima vez vou estar mais preparada, prometo.

Minha mãe olha para mim de um jeito que me faz ficar quieta. Vou ter que me esforçar muito mais para convencê-los de que estou pronta para essa viagem. E não foi o que fiz hoje.

Noah me solta e se inclina para a frente, na direção dos meus pais.

— Prometo que isso nunca mais vai acontecer. A Penny não vai ficar sozinha na plateia, nos shows pela Europa. Ela só saiu da coxia porque ia assistir ao show com os amigos, tanto que tinha até ingresso vip. Além do mais, eu garanto que todo o pessoal da minha segurança e da equipe do The Sketch vai conhecer a Penny e cuidar dela. A Penny já conheceu o Larry, meu guarda-costas, e vou tomar providências para que ele nunca a perca de vista.

— O Larry é muito legal — comento.

— E estão vendo isto aqui? — Ele segura minha mão. — Não vou largar esta mão.

— Bom, pode abrir uma exceção quando for ao banheiro — digo com um sorriso.

Noah dá uma gargalhada.

— É, tem razão. Mas a ideia é essa, vou estar ao lado da Penny o tempo todo — ele insiste, recuperando a seriedade de antes. — Ela é a minha namorada, e eu vou cuidar dela.

— Ainda acho que não é uma boa ideia — minha mãe responde, mordendo o lábio. — Isso é só o começo, meu amor. Tem certeza de que quer ir?

— Tenho — respondo. — Eu quero ir. Hoje foi assustador, mas eu errei. Não vou errar de novo.

— Não pode ser tão ruim quanto aquela viagem que você fez com a escola pra Amsterdã, quando a sua turma achou que o aviso de ataque aéreo tinha soado e todo mundo saiu correndo pelo Vondelpark — diz Elliot.

Ele está certo. O sr. Beaconsfield havia dito para nos escondermos embaixo dos bancos do parque, e foi o que fizemos, até que um casal holandês passou por ali e explicou que a sirene tocava na primeira segunda-feira do mês, sempre ao meio-dia. Na turnê de Noah, vai ter muito mais gente cuidando de mim. E vou ter que dominar meus medos em algum momento.

— Mãe, pai, por favor. Eu vou ficar bem. — Sorrio para eles, mas não sei se sou muito convincente com os olhos ainda inchados. — Posso ficar com o telefone antigo do Tom e comprar um chip novo antes de ir para o aeroporto. Assim, vou poder ligar pra vocês sempre que precisar.

O momento de silêncio é tenso. Meus pais se entreolham.

— Tudo bem, pode ir — minha mãe anuncia.

Eu levanto e vou abraçar meus pais.

— Não vou desapontar vocês.

— Você nunca nos desaponta, Penny. É só preocupação — meu pai explica.

— E agora estou preocupada porque você não vai acabar de arrumar as malas a tempo! — minha mãe acrescenta. — Não pense que não vi o estado do seu quarto.

66

— Eu vou arrumar tudo!

Elliot sorri.

— Muito bem, agora que está tudo resolvido, vou pra casa. Preciso do meu sono de beleza. O Alex vai me obrigar a usar os ingressos que o meu pai me deu para a temporada de rugby. Ele decidiu que tenho que ir ao jogo amanhã. Dá pra imaginar? O que a gente não faz por amor. Pelo menos os jogadores são sarados. Acho que o Alex e o meu pai se dariam bem... — Elliot fecha a boca, como se não entendesse bem o que acabou de falar. Levanto uma sobrancelha, mas ele olha para mim com aquela cara de "nem me pergunte". Depois olha para Noah. — O show foi incrível — diz. — Você roubou a cena. O The Sketch perdeu a graça.

Noah abraça Elliot com tanta força que quase derruba o chapéu dele.

— Eu queria que você fosse com a gente, Elliot!

— E fazer sombra para a princesa Penny? Nunca!

— Da próxima vez, então.

— Pode apostar. — Elliot olha para mim. — Não acredito que você vai sair tão cedo amanhã. Vou ficar uma eternidade sem te ver! Vou morrer de saudade.

É a vez dele de me abraçar.

— Também vou sentir sua falta!

— Promete que escreve todos os dias?

— E mando mensagem!

— E vai ligar também!

— Ei, vocês dois, a Penny não vai partir numa missão espacial pra Marte! Ela volta daqui a duas semanas — minha mãe diz.

— *Muita* coisa pode acontecer em duas semanas — diz Elliot. — Você vai ter que me contar tudo. Tudo! Principalmente sobre Paris. Quero saber tudo sobre Paris.

— É claro! E você vai me contar cada minuto do seu estágio! — Finalmente nos soltamos, e eu acompanho Elliot até a porta. Ele vai para a casa dele, ao lado da nossa. Antes de fechar a porta, Elliot joga um beijo para mim.

— É melhor eu ir também, Penny — Noah fala atrás de mim.

67

Essas eram as palavras que eu não queria ouvir.

— Mas você acabou de chegar — reclamo enquanto o abraço.

— Eu sei, mas vamos passar duas semanas juntos. Tenho que voltar pro hotel e deixar tudo pronto pra Berlim amanhã. Estou eufórico. Eu volto logo. Às cinco da manhã. — Ele afasta o cabelo do meu rosto e o prende atrás da minha orelha. — Tem certeza que está bem? Prometo que nunca mais vai acontecer nada parecido.

— Eu sei. — Fico na ponta dos pés e beijo seus lábios. — Mal posso esperar. Vai ser perfeito.

— Vai. Podemos fazer um Dia do Mistério Mágico em cada parada! A missão vai ser encontrar as comidas de padaria mais gostosas em cada país que a gente visitar. Alemanha! Itália!

— França! Quero comer todos os macarons do mundo! Meus favoritos. Promete?

— Combinado!

Seus olhos escuros mergulham nos meus.

— Eu te amo, Penny. Nunca mais me assuste desse jeito.

— Nunca mais — respondo com sinceridade. Amanhã vamos partir pela Europa, e não vou deixar nada estragar nossa viagem.

11

No meu quarto, enfio na mala todas as roupas que cabem ali e fecho o zíper. Se eu tiver minha câmera, o laptop, o cardigã da minha mãe e uma calcinha limpa, o resto é supérfluo.

Está chovendo forte de novo. Pego o laptop e sento na poltrona ao lado da janela. Imagino que cada gota é um pedacinho da minha ansiedade correndo pela vidraça, pela rua e para o mar. Não preciso me agarrar a nada disso.

Vejo um novo comentário da Garota Pégaso no último post do blog e corro para ler o que ela escreveu:

Oi, GO!

Que bom saber de você! Como foi o show?

Sei EXATAMENTE como você se sente em relação a sua amiga. Estou passando por algo bem parecido aqui. Uma amiga errou feio comigo, e não sei se vou conseguir perdoá-la. Mas acho que as pessoas merecem uma segunda chance. Mesmo que nunca mais voltem a ser as melhores amigas de antes, porque agora você é mais velha, mais esperta e não vai cometer o mesmo erro outra vez, é melhor ter uma amiga que uma inimiga. E você não precisa desse tipo de negatividade na sua vida! Aceite o pedido de desculpas, mas aceite também que a amizade nunca mais vai ser como antes.

GP XX

Digito uma resposta:

Obrigada pelo conselho. Como posso descrever o show? Foi meio que um desastre. Tive um ataque de pânico no meio da plateia e precisei ir embora antes do fim da apresentação do GB.

Mas uma coisa boa resultou de tudo isso: minha amiga pôde se desculpar. Não sei se algum dia vou conseguir confiar nela de novo, mas sinto que um peso enorme saiu dos meus ombros, agora que não preciso olhar para trás cada vez que viro uma esquina, tentando antecipar o que ela vai fazer.

Vou dormir, porque amanhã... embarco em um avião para Berlim! Estou nervosa e animada ao mesmo tempo. Ainda uso as dicas do Wiki para combater a ansiedade. Mar Forte vai embarcar nesse avião! Também vou levar o cardigã preferido da minha mãe para me embrulhar nele.

Vou contando tudo o que acontecer!

GO XX

Estou quase desligando o laptop quando a notificação de e-mail aparece na tela. *A Garota Pégaso já respondeu?* Odeio deixar um e-mail sem resposta, por isso abro o programa. Mas não reconheço o endereço do remetente.

De: VerdadeVerdadeira
Para: Penny Porter
Assunto: Aproveite enquanto dura...

ANEXO: imagem_1051.jpg

Não tem nada escrito no corpo do e-mail, mas dá para ver uma miniatura da imagem anexada, e meu estômago revira imediatamente. Acho que vou vomitar. Clico duas vezes no anexo e abro a foto de Noah comigo.

Minha mente se acelera. O que é isso? Coisa dos paparazzi? Ou alguma fã maluca do Noah?

Não.

É a selfie que tirei mais cedo no carro.

A que estava no meu celular.

12

Meu coração bate mais rápido e a pulsação acelera, mas respiro fundo. Não vou permitir que um ladrãozinho de celular me deixe em pânico. Sei exatamente a quem posso recorrer. Pego o laptop, desço correndo a escada do meu quarto no sótão e bato desesperada na porta do quarto do Tom.

— Quem é?

É incrível que ele tenha ouvido as batidas no meio de seu dubstep favorito, mas Tom está sempre muito atento a qualquer coisa que possa perturbar sua privacidade.

— Sou eu. — Abro a porta e vejo meu irmão sentado na frente do computador. Ele passa tanto tempo ali que não sei como a cadeira não tem uma marca permanente.

— Tudo bem, Pen-Pen? — Tom tira os fones de ouvido.

Levo o laptop para perto dele e mostro a fotografia.

— Estava no meu celular. O que foi roubado no show. Olha o assunto. Você acha que alguém quer usar isso contra mim?

A linguagem corporal de Tom passa de relaxada a tensa, como se ele se preparasse para uma briga.

— Já ligou para a operadora? Eles podem bloquear o telefone.

— Sim, liguei pra lá dez minutos depois de perder o aparelho. Mas não fiz mais nada. Acho que ainda tinha esperança de que alguém o encontrasse e devolvesse.

Tom pega seu celular e começa a digitar um número.

— Tudo bem, já é alguma coisa. Tem algo realmente comprometedor no aparelho? Se conseguiram essa foto, podem ter baixado outras, ou acessado sua lista de contatos. Você não usava senha?

— Sim, mas... era a data de aniversário do Noah. — Óbvio demais, agora que falo em voz alta. — Se alguém percebeu que o celular era meu, não deve ter sido difícil de adivinhar. Tem algumas mensagens, e todas as minhas conversas com o Noah pelo WhatsApp.

— Vamos mudar todas as senhas, dá pra fazer isso a distância, e programar a formatação do aparelho, caso ele seja conectado à internet. É melhor avisar o Noah que alguém pode ter o número do telefone dele.

Pensar nisso me deixa nervosa de novo, mas Tom me lembra que é só um número de telefone, não os detalhes do passaporte ou o histórico médico completo.

— Pen-Pen, foi um acidente. O Noah vai entender. Ele gosta mais de você do que do número da porcaria do celular.

Depois de uma hora sentada na beirada da cama de Tom, consegui bloquear e formatar o celular e mudar todas as minhas senhas. Agora que fiz tudo que podia, me sinto muito melhor. Não tem mais nada que VerdadeVerdadeira — seja lá quem for essa pessoa — possa fazer para me prejudicar. Não quero mais ser vítima de pessoas que acham que podem invadir minha privacidade e abusar das minhas emoções. Lembro a mim mesma que essa gente não sabe nada sobre mim e Noah e como nosso relacionamento é sólido, depois de tudo que enfrentamos juntos. Sou mais forte do que era no ano passado, e quero continuar assim.

Levanto e abraço Tom pelas costas enquanto ele altera meus últimos detalhes de acesso às redes.

— Obrigada, irmão. Te amo.

Ele bate de leve no meu braço.

— Estou orgulhoso por você não ter surtado, Penny. — Gira na cadeira. — E toma cuidado pela Europa. Se acontecer alguma coisa, pode ter certeza de que eu embarco no primeiro voo.

— Eu sei.

Quando saio do quarto, respiro fundo e finalmente sinto que vou mesmo viajar. E mal posso esperar.

* * *

Quando Noah vem me buscar na manhã seguinte, minha adrenalina continua alta por causa da noite passada. Conto a ele sobre o e-mail de VerdadeVerdadeira, e Noah nem se abala. Em vez disso, segura minha mão.

— Não esquece o que eu falei, Garota de Outono. Eu estou aqui. Parece que você e o Tom resolveram tudo, mas, se esse doente mandar mais alguma coisa, vamos enfrentar isso juntos. Você e eu contra o mundo, certo?

— Certo — concordo e me sinto mais animada, porque percebo que quem está tentando me... chantagear? Assustar? Provocar minha ansiedade? Seja qual for a intenção, não vou ter que enfrentar isso sozinha. Na verdade, nossa conversa sobre VerdadeVerdadeira acaba servindo de distração durante o voo rápido, porque, antes que eu tenha tempo de ficar nervosa, já aterrissamos e estamos atravessando o aeroporto de mãos dadas a caminho do estacionamento, onde o ônibus da turnê nos espera.

É como eu havia imaginado: um ônibus grande e preto com janelas escuras. Tudo muito brilhante e chique. O rosto de Noah é a imagem da animação, e ele aperta minha mão com tanta força que sinto meus ossos espremidos.

— Está acontecendo de verdade, Pen! Olha pra essa coisa linda. — Ele corre para a frente do ônibus e tenta tirar uma selfie, mas, é claro, só consegue registrar seu rosto e um pedacinho de metal preto.

— Eu tiro, bobinho. — Pego o telefone da mão dele e faço uma foto muito melhor de Noah com os braços abertos na frente do ônibus.

Larry aparece na porta e acena, nos chamando para entrar.

— Ah, que bom, vocês chegaram! — ele diz. Quando entramos, percebo que aquilo é uma espécie de paraíso masculino. Tem vários frigobares, consoles de games e tevês por todos os lados. O restante da banda de Noah está embarcando e, surpreendentemente, não me sinto claustrofóbica. O interior do ônibus é muito mais espaçoso do que eu imaginei.

Tem duas áreas com sofás, uma cozinha pequena, um banheiro com vaso sanitário e chuveiro e, no fundo, algumas camas como as de um trailer, caso alguém queira dar uma cochilada.

Sinto uma mão escorregando pelas minhas costas e escuto a voz rouca bem perto da minha orelha.

— Quer jogar?

Viro e vejo Blake apontando o Xbox.

— Ah, não sou muito boa nisso — respondo com modéstia, embora seja genial com Sonic e Mario Kart. Ter um irmão mais velho significa que, para conviver com ele, tive que aprender a jogar. Minhas memórias mais queridas com Tom são dos dias e semanas que passávamos tentando zerar vários jogos, comendo muito cereal e saindo da sala só para ir ao banheiro.

O que será que ele está fazendo agora? Fácil. Provavelmente, Tom está na frente do computador jogando Halo. Aposto que minha mãe está limpando a cozinha com as sapatilhas de tirar pó, sacudindo o espanador e cantando clássicos da década de 80. Meu pai, por outro lado, deve estar jogando paciência no computador dele, ou fingindo fazer palavras cruzadas no jornal. Ele nunca as resolve realmente, só tenta pensar nas palavras mais surreais para preencher os espaços, depois deixa o jornal para minha mãe encontrar no próximo surto de limpeza. Ela ri descontroladamente, e os dois acabam se beijando como adolescentes no sofá. Estremeço e interrompo o devaneio.

— Não é verdade, Penny! — Noah protesta, rindo. — Eu lembro que você acabou comigo no Mario Kart na última vez em que a gente se encontrou!

— Ahá! Eu sabia! — Blake reage. — Sem desculpa. — Ele põe um controle na minha mão, se joga na cadeira na frente de uma televisão, deixa uma garrafa de cerveja em cima da mesa e arrota pelo canto da boca.

— Tudo bem — falo e sento ao lado de Blake com meu melhor sorriso, apesar de ele começar uma partida de Forza Motorsport.

— Pode se preparar pra perder — ele provoca com um sorriso estranho. Depois bebe um gole de cerveja sem desviar os olhos dos meus, até

75

eu me sentir desconfortável, olhar para a televisão e escolher meu carro. Blake apoia um pé sobre a mesa, arrota e fala palavrões para o carro que escolheu. Posso ganhar dele! Ouço os outros rindo atrás de nós, e Noah improvisa uma canção inteira sobre salsicha alemã.

— Então, a sua amiga Megan é interessante — Blake comenta sem desviar os olhos da tela.

— O quê? — Fico tão surpresa que me distraio, quase derrubo o controle, e meu carrinho na tela bate contra um muro de concreto.

Blake passa por mim e levanta os punhos fechados quando atravessa a linha de chegada.

— É isso aí! Eu sabia que essa garotinha não ia conseguir ganhar de mim. Mais sorte da próxima vez.

Não ligo para o jogo, mas me interesso pela novidade.

— Então você e a Megan conversaram?

Blake pisca para mim.

— Por quê, está com ciúme?

— Não enche o saco, cara — Noah interfere.

Olho para Blake, que está olhando para a televisão com a testa franzida, muito concentrado. O cara é bem estranho. Não tenho amigos como ele, ninguém com quem eu possa fazer comparações. Blake é tão diferente de Noah que tenho dificuldade para acreditar que os dois são amigos tão próximos e há tanto tempo. Noah é atencioso, gentil e engraçado, enquanto Blake parece nem notar as outras pessoas. Ele me dá a impressão de ser frio. Não consigo identificar o que é, mas alguma coisa nele me incomoda. O que sei com certeza é que Noah não estaria bebendo cerveja às duas da tarde e xingando sem parar um carrinho animado na tela.

Quero saber mais sobre Blake e Megan, mas não sei como perguntar. O ônibus começa a andar, e Blake levanta os braços.

— Partiu! — grita.

Esqueço Megan em meio aos gritos entusiasmados que explodem dentro do ônibus.

13

Larry surge da frente do ônibus com uma enorme bandeira da Alemanha sobre os ombros.

— Então, seus baladeiros, devemos chegar à cidade em quarenta minutos. Usem o ônibus como base. Boa parte da equipe vai ficar aqui, mas quero que sintam que podem vir para cá sempre que precisarem dar um tempo ou jogar comigo no Xbox. E isso vale para você também, Penny! — Ele pisca para mim. — Vamos passar a noite em hotéis em todas as cidades, e viajar de ônibus ou de avião para os lugares onde vai ter show.

— Quanto você está cobrando pra ser o nosso guia turístico? — Noah grita, e todo mundo ri.

— Nada, seu otário. — Larry joga a bandeira para Noah, que se enrola nela. É bom vê-lo tão à vontade, rindo e brincando com os amigos, e tão animado. É outro nível de atração e, sinceramente, quero agarrar meu namorado aqui e agora.

— Bom, temos mais quarenta minutos pra eu acabar com você na corrida então — diz Blake.

— Acho que sim — respondo, quase suspirando. Pego o celular que Tom me deu (era dele, e não é tão legal, por isso ele não se importa com a possibilidade de eu perder ou quebrar) e mando uma mensagem para Elliot.

Aterrissamos em Berlim e estou jogando com o baterista do Noah, Blake, que tem cheiro de suor disfarçado com loção pós-barba e fumaça velha de cigarro. O cara está na terceira cerveja do dia e são só duas da tarde! Queria entender pra quê

A resposta é imediata:

Princesa P. Estou impressionado por vc ter conseguido chegar no ônibus da turnê, mas não entendi por que está perdendo tempo com um joguinho lixo em uma cidade tão linda. Por favor, não volte pra Inglaterra sabendo jogar tudo e sem ter visto nada. Meu coração de enciclopédia não vai aguentar. Pense nas fotos, na aventura e na história. Se não funcionar, pense na comida. A COMIDA, PENNY! O Dia do Mistério Mágico em cada cidade vai ser incrível. Vc pode ir visitar o Muro de Berlim, o Portão de Brandemburgo, o Palácio do Reichstag. Ah, já viu a Fernsehturm?

Elliot, acho que vc não entendeu que até agora só vi as janelas escuras de um ônibus e um lado da cabeça do Blake. E não sei o que é Fernsehturm, porque não sou uma enciclopédia ambulante. O DMM é a única coisa com que estou animada de verdade. Vai ser muito romântico explorar cada cidade com o Noah. De mãos dadas, experimentando os melhores... bolos

Beeindruckend, impressionnant,
impresionante, fantastico!

Elliot, tecla SAP, por favor

Incrível. Tudo isso significa a mesma coisa:
incrível, Pen. Vc pode precisar de algumas
palavras estrangeiras nos lugares que vai
visitar. E a Fernsehturm é uma torre de
televisão e a estrutura mais alta da
Alemanha: 368 m de altura.
Se eu não estivesse num almoço
extravagante no Browns, cortesia do Alex,
provavelmente estaria batendo a cabeça na
mesa. Vc não pesquisou os lugares aonde
vai? Eu te amo, Penny, mas vc precisa
ampliar seu conhecimento de coisas épicas. É
a primeira coisa que vamos fazer quando vc
voltar. Mande notícias. Amanhã começo no
estágio. ME DESEJE SORTE. Todo amor do seu
gay preferido x

Sorrio para o celular, e estou começando a responder quando Blake
toma o aparelho da minha mão e o deixa em cima da mesa à nossa frente.

— Como posso ganhar se você não está nem jogando? Larga isso.

— Grosso! — Pego o celular e guardo no bolso.

— Não fui grosso. Você é que interpretou como grosseria. — Ele sorri
e me entrega o controle do jogo.

Noah levanta, se espreguiça e alonga os braços, bocejando de um
jeito dramático.

— Estou morto depois de ontem à noite. Acordei cedo. Vou dormir
um pouco lá no fundo, Penny. Tudo bem?

— Claro — respondo, mas olho para ele e tento comunicar a seguinte mensagem: "Por favor, não me deixe aqui sozinha com o seu amigo

esquisito". Mas Noah não é tão bom quanto Elliot em decodificar minhas mensagens secretas. Ele apenas sorri e vai para o fundo do ônibus.

Tentando fazer passar a próxima meia hora, faço perguntas sobre a turnê, Noah, a bateria... qualquer coisa que passe pela minha cabeça. As respostas de Blake são grunhidos e resmungos, mas, juntando tudo isso, até dá para chamar de conversa. Não é muito estimulante nem muito agradável, mas faz a viagem passar um pouco mais depressa e, como ele não está se concentrando muito no jogo, consigo ganhar algumas vezes (o que o deixa horrorizado).

— Há quanto tempo você e o Noah estão juntos? — ele pergunta.

— Ah, um pouco mais de seis meses. Passou muito depressa.

— É, uma vida inteira! Sabe, essa turnê é muito importante pro Noah. É o sonho dele se realizando.

Não sei como interpretar o comentário sobre "uma vida inteira", mas fico surpresa por estar conversando de verdade. Deu certo! Blake, o carrancudo, amoleceu um pouco. O jogo de corrida valeu a pena, serviu para eu perceber que tinha tido uma impressão errada, que ele só precisava baixar a guarda. Sempre esperei me dar bem com os amigos de Noah, e acho que está funcionando.

Sorrio.

— Eu sei. Eu queria ter conhecido o Noah antes da realização desse sonho. Aposto que ele nunca pensou que daria certo desse jeito. O trabalho dele é incrível, ele é um ótimo compositor. Não que eu saiba muito sobre composição ou a indústria da música, mas...

— Então, é isso, Penny — Blake me interrompe. — Você não sabe *nada* sobre a indústria da música.

O tom dele muda. Sinto a garganta apertada e o rosto quente. Blake continua olhando para a televisão e fazendo o carrinho correr.

— Tenho certeza que você é legal, Penny. E o Noah também acha, é claro. Só não sei se ele pensou nas consequências de ter uma namorada quando a carreira dele está decolando.

Blake larga o controle e pega um pacote de tabaco para enrolar um cigarro. Olho para ele e sinto o horror do que acabei de ouvir como uma urticária violenta. Fico em silêncio, esperando que ele diga alguma coisa, qualquer coisa que o redima e anule o efeito dessa conversa.

— A turnê vai ser divertida. Noitadas em várias cidades, bebedeiras, um monte de garotas — ele fala enquanto enrola o cigarro.

— Acho que não estou entendendo, Blake. — Observo suas atitudes pelo canto do olho, mas tento manter a calma.

— "Blake" fica engraçado com o sotaque britânico. — Ele põe o cigarro atrás da orelha e levanta do sofá para ir buscar outra cerveja no frigobar. Quando senta de novo, está tão perto de mim que sua perna roça a minha. — O que estou dizendo é que... no sonho de sair em turnê, tem *uma* coisa neste ônibus que nenhum de nós jamais quis.

Fico tão chocada que não respondo. Quero pensar em alguma coisa inteligente para dizer, mas minha boca parece que congelou. Mark, o baixista, se aproxima e pega o controle que eu deixei cair.

— Posso jogar? — pergunta.

— Vai nessa — consigo dizer. Levanto e vou para o fundo do ônibus. No último momento antes de entrar na área das camas, olho para trás. Blake está concentrado na tela.

Apoio a mão no batente da porta para me segurar. Só agora percebo como estou tremendo, mas já começo a me recuperar, e sorrio ao lembrar que a cura está bem perto.

14

Noah vira de lado e pisca, ofuscado pela luz, quando eu passo entre as cortinas.

— Oi, minha linda.

— Oi. Eu te acordei? — Sento na beirada da cama.

— Não, nem consegui dormir. Estou muito agitado.

Assinto mordendo o lábio. Ele senta e segura minha mão.

— Tudo bem? Você está meio pálida.

Balanço a cabeça.

— Bom... — Quero contar o que Blake me falou, mas também quero que Noah acredite que posso me dar bem com os amigos dele. E sei que Blake é o melhor amigo dele, por isso não quero que se sinta forçado a escolher entre nós dois. — Há quanto tempo você e o Blake se conhecem?

— O Blake? Ele é um dos meus amigos mais antigos. Crescemos juntos, praticamente. Meus pais compraram meu primeiro violão no mesmo ano em que ele ganhou de presente dos pais uma bateria. A gente tocava no porão da casa dele. Nossa primeira banda se chamava... — Noah hesita.

— Fala! Quero saber!

— Meninos Bruxos. Éramos meio obcecados por Harry Potter. — Ele faz uma careta de vergonha, mas é muito fofo.

Dou risada.

— Essa foi ótima!

— É, o Blake até fingia que as baquetas eram varinhas, e que as letras das músicas eram feitiços.

— Sério? — Não consigo encaixar a imagem do grunge lá fora com a desse menino fofo tocando rock no porão e inventando feitiços.

— Talvez você nunca tenha ouvido a música "Elfos domésticos só querem amor", mas com certeza teria sido um grande sucesso! — Noah ri, mas em seguida seu tom se torna mais sério. — Quando as coisas começaram a acontecer pra mim, tipo, quando o Dean me encontrou no YouTube e virou meu empresário, essas coisas... o Blake e eu nos afastamos. Ele começou a andar com uma galera diferente, e brigamos algumas vezes. Essa foi uma das razões pra eu ter me afastado de tudo no ano passado. Eu me isolei do mundo. Estava pensando em desistir, jogar a toalha. Se fosse pra perder meus melhores amigos por causa disso — ele abre os braços mostrando o ônibus —, não valeria a pena. Daí eu te conheci. Meu Incidente Incitante. — Ele beija minha mão. — Você me mostrou que eu podia ter as duas coisas. Me deu coragem pra acertar as coisas com o Blake. Convidar meu amigo pra participar da turnê foi a melhor coisa... depois de ter você aqui, é claro. Ele é meio palhaço, mas está comigo desde o começo. E sei que vocês vão se dar muito bem quando se conhecerem melhor.

Meu rosto queima. Não só pelo elogio, mas porque quase ataquei o melhor amigo de Noah. Eu não sabia que a história deles era tão antiga. Se Blake é meio palhaço, deve estar só brincando comigo. Tenho que aprender a não levar tudo tão a sério nesse tempo que vou passar com a banda.

— Eu ia esperar até a gente chegar no hotel, mas quero te dar uma coisa. — Ele puxa a mala de baixo da cama e tira dela uma caixa embrulhada em papel dourado. — Pra você. Abre — diz, quando fico olhando para o presente.

Começo a abrir o pacote devagar, depois rasgo o papel. É um smartphone novo. Um dos mais caros, que eu nunca poderia comprar.

— Uau, Noah...

— Eu quis te dar um celular novo e mais legal, já que roubaram o seu no meu show. Com certeza você não está satisfeita com esse dinossauro que o Tom te deu, né? Além do mais, esse aqui tem uma câmera incrível.

É verdade, não estou satisfeita com o celular velho do Tom, mas eu só queria o meu telefone antigo com os desenhos do Noah na capa. O celular novo nem se compara ao outro, mas ajuda. Olho para ele, fascinada.

— Não precisava... Isso é... é demais.

— Não é demais, Penny, garanto. De que adianta ser um astro do rock, se eu não posso fazer uma loucura com você de vez em quando?

— Só que eu não posso devolver a loucura.

— Não pensa assim. — Ele me beija no rosto. — Você é a minha monitora de ansiedade oficial, lembra? Só isso já tem muito valor. Vamos voltar lá pra frente com o pessoal? — Ele se aproxima da beirada da cama e estende a mão.

— Sim, vamos. — Noah me deu mais confiança. Talvez eu só precise dar uma chance ao Blake. Se Noah gosta tanto dele, o cara não pode ser tão ruim.

Quando saímos da parte de trás do ônibus, todo mundo grita e aplaude. Noah levanta as duas mãos.

— Ei, ei, parem com isso. — Sinto meu rosto ficar vermelho. Por que os homens têm a mente tão suja? Queria que tivesse mais uma garota ali para ajudar a diluir tanta testosterona.

Blake está voltando do frigobar.

— Quer uma, cara? — Ele mostra a garrafa para Noah, que olha para mim, depois para o amigo.

— É cedo, cara. Quantas dessas você já bebeu? Você está com cheiro de quem acabou de sair de um bar às três da manhã.

— Caramba, Noah, relaxa um pouco. Isso é pra ser divertido! Você está parecendo o Dean.

Noah pega a garrafa de cerveja e abre no canto da mesa.

84

— Saúde! — Blake bate a garrafa na de Noah e sorri para mim.

— Quer uma Coca, Penny? — Noah oferece uma lata que pega no frigobar.

— Quero. — Olho pela janela e vejo um enorme portão com pilares gigantescos e quatro cavalos no topo. É imenso e majestoso, exatamente o que eu esperava de Berlim. Deixo escapar um grito de entusiasmo. — Olha só aquilo! É o Portão de Brandemburgo?

Os outros olham pela janela, e abaixo a voz para ser ouvida apenas por Noah.

— Estou tão animada com o Dia do Mistério Mágico!

— Eu também — ele responde, afagando minha mão.

— O Elliot me mandou uma mensagem com uma lista de lugares legais pra conhecer. Tem uma estrutura com mais de trezentos e cinquenta metros de altura e...

Blake me interrompe com uma risadinha abafada.

— Dia do quê? Alguma coisa mágica? — Ele olha para Noah e para mim.

Fico constrangida quando penso como isso deve parecer infantil para Blake. Mas Noah reage imediatamente.

— Dá um tempo, cara... Você não sabe o que é romance, não reconheceria nem se ele mordesse a sua bunda!

No mais puro estilo masculino, Blake ameaça mostrar a bunda para nós, e a tensão desaparece.

Felizmente, Larry grita da frente do ônibus para avisar que chegamos, e Blake é impedido de abaixar a calça no último segundo. Perfeito. Dean bate palmas, e todo mundo olha para ele.

— Pessoal, tenho ótimas notícias! — Seus olhos brilham, como se ele tivesse ganhado na loteria. — Vocês nem imaginam quem vai tocar com o The Sketch hoje à noite. — Uma pausa breve para aumentar a expectativa. — A Leah Brown! É segredo por enquanto, mas a plateia vai enlouquecer! Não é incrível?

Todos à minha volta comemoram, pulando e trocando cumprimentos. A participação especial vai alavancar a turnê e elevar a publicidade a níveis estratosféricos. Mas, quando eu desejei que tivesse outra garota no grupo, *não* pensei na ex-namorada de mentira do Noah. Se acho que Blake está dificultando as coisas para mim, tenho quase certeza de que a chegada de Leah Brown vai piorar muito a situação.

15

A casa de shows em Berlim tem o dobro do tamanho do Brighton Centre, e nossos passos ecoam pelo palco quando Noah se prepara para fazer a passagem de som. Tem gente por todos os lados, mas, depois de ir do aeroporto de Berlim para o hotel e então para o local do show, tudo no ônibus da turnê, tenho a sensação de que ainda não vi a cidade. Podia ser qualquer lugar. A única indicação de que estamos na Alemanha são os luminosos vermelhos indicando AUSGANG, em vez de SAÍDA.

Vou até a beirada do palco e olho para o mar de assentos vazios que logo serão ocupados por garotas barulhentas. O lugar está deserto, mas eu sinto um arrepio nas costas.

Pelo menos dessa vez não vou precisar enfrentar a multidão. O crachá de acesso aos bastidores está pendurado no meu pescoço, e estou tão apegada a ele que Noah brinca, dizendo que vou levar o crachá para a cama. Talvez eu leve. Não quero correr o risco de enfrentar outro incidente como o que aconteceu em Brighton. Aqui não vai ter amigo me procurando.

Levanto a câmera e tiro uma foto dos assentos vazios. Tenho a ideia de sobrepor imagens da plateia sobre as cadeiras vazias e fazer um tipo de comentário sobre a relação entre performance e plateia. A srta. Mills gostaria disso no meu projeto de perspectivas alternativas. *Ainda é uma performance, se não tiver ninguém lá para ver?*, é o que me pergunto.

Saio da beirada do palco e volto para as sombras no fundo. Noah está parado em um círculo de luz no meio do palco, vestido com um moletom bordô de Harvard e jeans preto, cantando as primeiras palavras de "Elements". Fotografo isso também: o artista antes da apresentação, as muitas horas de ensaio e trabalho duro que os fãs quase nunca podem ver. Isso vai ficar perfeito para o meu projeto.

Eu me perco na imagem de Noah concentrado em sua música, até Blake bater os pratos da bateria bem do meu lado e me assustar. Dou um pulo para trás e tropeço em um emaranhado de cabos no chão. Fico tão preocupada com a câmera que não estendo a mão para amortecer a queda e caio em cima de uma pilha de caixas de som. A menor, no topo da pilha, balança com a força do impacto.

Por favor, não cai, por favor, não cai, peço mentalmente aos deuses dos desajeitados.

Eles não ouvem minha prece.

A caixa de som cai no chão e faz um barulho horrível, e pedaços voam para todos os lados. Estou caída no chão com o ombro latejando, mas a câmera continua inteira, o que é um pequeno consolo.

— Penny! Meu Deus, você está bem? — Noah corre em minha direção.

Levanto depressa e limpo a roupa. Tento não fazer cara de dor, o que transforma meu sorriso em uma coisa estranha.

— Tudo bem, Noah, de verdade... Continua ensaiando. Eu... pago pela caixa de som.

— Não se preocupa com isso. Blake, qual é, cara?

Blake olha para mim e dá de ombros.

— Não tenho culpa se a sua namorada é estabanada.

— Ele tem razão, eu... sou estabanada — gaguejo.

Noah franze a testa.

— Bom, você é a *minha* estabanada, e não quero que se machuque. Essas caixas de som são muito pesadas.

Respondo que sim com a cabeça e, para esconder o vermelho intenso do meu rosto, volto para o chão e começo a recolher os pedaços da caixa destruída. Nunca mais vou subir em um palco. Isso só pode ser uma maldição.

— O Steve vai ajudar com isso. — Noah acena para um dos roadies, que já se aproxima com uma pá e uma vassoura. Eu o reconheço vagamente das apresentações rápidas quando entramos na casa de shows. Noah sabe o nome de cada membro da equipe, mesmo dos que só encontrou uma vez. Mais uma coisa que faz dele uma pessoa tão especial. — Tem outra caixa de som para pôr aqui, não tem?

— Sim, claro — Steve confirma. — Vamos trazer uma do fundo pra cá.

— Viu? Tudo resolvido. Não liga pro Blake. Eu te encontro depois da passagem de som.

— Tudo bem — concordo. Ainda estou frustrada. *Por que tenho que ser esse prejuízo eterno?* Espero que os bastidores sejam uma área mais segura.

Tiro o celular do bolso e mando uma mensagem para Elliot.

Um dia em Berlim e já sou um desastre.

Ele responde imediatamente:

Que foi?

Vamos dizer apenas que eu não sirvo pro palco.

Não me fala que teve problemas com a calcinha de unicórnio de novo!

NÃO. Pior. Quebrei um equipamento que deve valer centenas de libras.

O The Sketch pode comprar outro, aposto. Já viu alguém famoso?

Estou digitando "não", mas, de repente, isso deixa de ser verdade.

Leah Brown aparece na área atrás do palco, o cabelo preso num rabo de cavalo, o rosto sem maquiagem. Na verdade, a única coisa que indica que ela é uma estrela pop internacional é o séquito de uma dúzia de pessoas que tentam acompanhar seus passos. Leah olha para o tablet que um de seus assistentes está segurando.

— Ai, odiei. Não tinha uma foto melhor? Diz para o Frankie P. que vamos precisar de outra sessão de fotos, se isso é o melhor que ele tem lá.

Quero que um buraco se abra no chão e me engula. Se eu desviar o olhar, talvez ela nem me note, mas não consigo parar de olhar para Leah. Antes mesmo de fazer a maquiagem e arrumar o cabelo, ela já está linda e atrai todos os olhares, como um ímã. Acho que é a isso que as pessoas se referem quando dizem que alguém tem jeito de estrela, o fator X. Sua presença muda o ambiente, faz tudo ficar mais elétrico.

Elliot chamaria de um certo *je ne sais quoi*.

Megan teria inveja.

Ollie estaria babando.

Eu tenho arrepios.

Não entendo como Noah pode ter mantido um relacionamento "de mentira" com essa garota. Como um cara hétero pode ficar perto dela sem se apaixonar?

Apesar de eu fazer papel de idiota olhando para ela como uma maluca, Leah e seu batalhão passam por mim sem parar, exceto a garota que tem que dar o recado para o tal Frankie P. Ela puxa outra garota do grupo e cochicha:

— Falar para François-Pierre Nouveau que ele tem que refazer as fotos? Como é que eu vou fazer isso? — Seu rosto está pálido de pânico, e as frases terminam em um guincho agudo.

Já ouvi falar em François-Pierre Nouveau. Ele é um dos fotógrafos mais famosos do mundo. Não acredito que estou perto de alguém que foi fotografada por François-Pierre — ou melhor, alguém que está *rejeitando* o trabalho de François-Pierre e o chama de *Frankie P.*

— Você vai ter que dar um jeito — a outra garota responde. — É a foto da *capa* do álbum da LB. Se ela não gostar...

90

— Eu vou morrer. Pode esperar, vou morrer.

Elas percebem que estou olhando e me encaram com ar carrancudo. Sigo em frente resmungando um pedido de desculpas.

— Penny?

Viro relutante. Leah está parada com uma das mãos na cintura, e o resto do grupo olha para mim como se eu tivesse duas cabeças.

Engulo em seco.

— Oi, Leah.

Ela se aproxima, e parece mais um predador se aproximando da presa do que alguém vindo me cumprimentar.

— Então *você* é a Penny Porter.

Não sei como responder, por isso confirmo com um movimento de cabeça.

— Foi você que me causou todo aquele problema no ano passado — ela continua, o sotaque de Los Angeles temperado por uma pitada de raízes sulistas.

Leah me olha da cabeça aos pés, e sinto que o grupo todo está julgando minha roupa. Não dá para dizer que me esforcei muito hoje. Estou vestida para viajar no ônibus da turnê, e a escolha foi um jeans confortável e um suéter de zíper. Cruzo os braços numa reação de defesa, mas mantenho a cabeça erguida.

— Bom, acho que tenho que te agradecer pela inspiração para a música. Legal a câmera. A gente se vê — ela conclui com um aceno rápido antes de virar e voltar para o grupo.

Leah usou a tempestade que a imprensa provocou em torno de seu falso rompimento com Noah para lançar seu último single de sucesso mundial, "Bad Boy". Ela escreve boa parte das músicas que canta, e essa tinha sido preparada para uma eventualidade — no caso, usar o rompimento com Noah em proveito próprio. Tenho certeza de que havia músicas sobre como eles eram apaixonados, também, caso a farsa tivesse continuado.

Quando ela se afasta, quase desmaio de alívio. Preciso falar com Elliot. Agora.

16

De: Elliot Wentworth
Para: Penny Potter
Assunto: O RELATÓRIO ELLIOT

Querida Pennylícia, vulgo Mar Forte,

Você viajou há UM DIA, e já estou destruído. COMO vou
enfrentar as próximas duas semanas sem você? As coisas
pioraram muito por aqui. Não contei por mensagem, mas meu
pai voltou. E está insistindo em me levar para jantar.
Parece que o terapeuta disse que esse é um jeito de ele "se
conformar" com a minha "sexualidade". Ele está em casa
porque minha mãe autorizou, mas, a cada vez que os dois
ficam no mesmo ambiente, acontece uma megadiscussão. De
ontem para hoje teve mais emoção nessa casa do que nos
últimos dezesseis anos.

Enfim, minha mãe decidiu que não quer vê-lo. Ela nem voltou
para casa hoje à noite. Está fazendo hora extra no
trabalho. Às vezes acho que ela também não quer me ver. Ai,
por que o drama familiar é tão complicado? Acho que eu
preferia quando meus pais me ignoravam e me deixavam cuidar
da minha vida.

Falando em vida, meu estágio na revista *CHIC* começou mais cedo! Eles pediram para eu começar hoje, mesmo sendo sexta-feira. Ai! Mas foi incrível. Trabalhei com uma estilista que elogiou meu blazer, aquele em que eu preguei os botões malucos, sabe? Tudo bem, servi muito café e desembaracei um milhão de colares, mas é TRABALHO DE MODA DE VERDADE.

Agora chega de falar de mim e da minha vida sem graça. Como vão as coisas por aí?

Como é o hotel?

Já viu o Muro de Berlim?

Comeu currywurst?

E o mais importante... ENCONTROU A LEAH BROWN?

Estou morto de saudade, Penny P.

Elliot xx

De: Penny Porter
Para: Elliot Wentworth
Assunto: RE: O RELATÓRIO ELLIOT

Querido mais querido dos queridos Elliots,

Sim! Conheci a Leah!

Ela estava recusando fotos feitas por François-Pierre Nouveau. DÁ PARA IMAGINAR? É como dizer a Vincent van Gogh: "É, sua pintura é boa, mas não o bastante para a minha parede".

Ela é ainda mais intimidante pessoalmente.

Como vou competir com isso? E o mais estranho foi que ela me tratou bem. Mas tenho certeza que foi uma encenação na frente do Noah, só isso.

E, não, ainda não conheci nada em Berlim. Mas o Noah e eu vamos sair para o Dia do Mistério Mágico amanhã, e depois eu te conto TUDO.

Que chata essa história com o seu pai. Muito chata. Mas que legal o estágio! Sabia que você ia arrasar! É CLARO que eles vão amar o seu estilo, você é o Elliot! O cara mais descolado de Brighton!

Tem certeza que não pode entrar no próximo avião para Berlim e vir me encontrar?

P xxx

De: Elliot Wentworth
Para: Penny Porter
Assunto: RE: Re: O RELATÓRIO ELLIOT

Querida Pennylícia,

Bem que eu queria!

Elliot x

PS: Vincent van Gogh teve seu trabalho rejeitado várias vezes. Ele só vendeu um quadro em toda sua vida, e só ficou superfamoso depois que morreu.

De: Penny Porter
Para: Elliot Wentworth
Assunto: RE: Re: Re: O RELATÓRIO ELLIOT

Querido Wiki,

Tudo bem, Sabe-Tudo.

Penny x

17

Não há dúvida: meu namorado arrebenta! E parece que ele tem tantos fãs na Alemanha quanto no Reino Unido. A gritaria aqui é a mesma que ouvi em Brighton. Não sei por que estou tão surpresa, mas parece que a fama de Noah só cresce, enquanto eu me sinto cada vez menos importante. Ele me encanta com seu talento. É só dois anos mais velho que eu e já conquistou muita coisa.

Lembro que Noah não é normal. Tenho muito tempo para decidir o que quero fazer. Ser "namorada do Noah" é só uma parte do meu futuro.

O período entre a passagem de som e o show é ocupado por entrevistas e fotografias, uma sequência interminável de jornalistas entrando e saindo do camarim de Noah. Fico sentada em um canto, de vez em quando tiro uma foto, mas, basicamente, tudo que faço é ouvir. Noah é profissional nessa coisa de dar entrevistas, mas acho que qualquer um se profissionaliza depois de responder tantas vezes às mesmas perguntas. É incrível, mas nenhum jornalista faz perguntas realmente interessantes. Talvez seja a presença imponente de Dean atrás dele, de braços cruzados, sempre pronto para interferir, caso a entrevista se aproxime demais de assuntos delicados, como os pais dele ou eu.

Alguns jornalistas me reconhecem e, por saber que isso me deixa nervosa, Noah tem o cuidado de não revelar muito sobre o nosso relacionamento.

Uma entrevistadora consegue se aproximar mais de uma resposta interessante quando pergunta sobre Leah Brown. A morena bonita, editora de um blog de música muito popular na Alemanha, pergunta:

— E aí, Noah, como é estar novamente tão perto de Leah Brown depois da... controvérsia do ano passado?

Noah sorri com simpatia.

— A Leah e eu somos bons amigos, e eu respeito o talento musical dela. E acho que ela deu o troco com "Bad Boy". — A piscada serve para dar um toque de seu charme natural à situação.

— E a Penny não se incomoda? — a blogueira insiste.

Dean ameaça interromper, mas Noah dá de ombros, balança a cabeça para o empresário, indicando que não precisa de ajuda, e responde:

— É claro que não. A Penny não tem nenhum motivo para se preocupar.

As palavras me preenchem com um calor que se espalha pelo meu corpo todo. Só espero que a blogueira publique o que ele disse sem nenhuma distorção. De qualquer maneira, o importante é o que ele falou, o que eu ouvi. Se Blake estivesse aqui... isso o faria parar de me atormentar.

Dean bate palmas.

— Muito bem, obrigado, Ruby. Vamos parar por aqui. É hora do show!

A sala já é uma colmeia de atividade, mas parece vibrar ainda mais intensamente depois do anúncio.

Meu estômago se comprime com o nervosismo, mas Noah se aproxima e segura minha mão. Ele prometeu que dessa vez seria diferente, e eu já sinto tudo bem diferente.

— Trouxe o celular novo? — ele pergunta.

— Sim, está aqui. — Eu lhe estendo o aparelho, ele pega e digita um número. Depois de alguns toques, a tela se ilumina e surgem nela os rostos de duas das pessoas de que mais gosto no mundo: Sadie Lee e Bella.

— PRINCESA PENNY! — Bella grita do outro lado, pulando muito e se aproximando tanto do telefone que seus olhos ficam enormes.

Meu queixo cai quando a vejo. Não acredito como ela cresceu! Parece mais uma mocinha do que a saltitante menina de quatro anos que vi no Natal.

— Bella! Quando foi que você ficou tão grande? — Não consigo disfarçar o espanto. — Oi, Sadie Lee! — Ouço a risada contagiante de Sadie Lee ao fundo e vejo quando ela afasta a neta delicadamente e aparece na tela.

— Amorzinho, o Noah e a Penny podem nos ver bem melhor quando estamos sentadas — ela avisa com aquele sotaque sulista. Depois vira de frente, e vejo os olhos castanhos e brilhantes, tão característicos da família Flynn. — Como está Berlim, minhas duas estrelas?

— Vou subir no palco daqui a pouco, vó!

— Que maravilha, Noah! — Mas os olhos dela transbordam preocupação. — Penny, fiquei sabendo o que aconteceu em Brighton. Estão cuidando de você aí?

Fico vermelha, mas balanço a cabeça com vigor numa resposta afirmativa. Noah me abraça com a mão livre, a outra ainda segurando o celular com o braço esticado.

— A Penny vai ficar na lateral do palco, vó, e vai transmitir a minha apresentação pra vocês. Quero todas as minhas garotas favoritas vendo tudo.

Sadie Lee dá risada.

— Acho que não me chamam de garota há uns trinta anos, pelo menos!

Ele dá uma piscadinha.

— Você entendeu. — Então vira quando Dean fala seu nome. Passa o telefone para mim, joga beijos para Sadie Lee e Bella e me beija no rosto, depois corre para se juntar à banda.

Fico sozinha com o telefone na mão e, por um momento, não sei bem o que fazer. Mas em seguida vejo o olhar carinhoso de Sadie Lee e o rosto de Bella, e lembro que tenho uma missão.

— Você levou a Princesa Outono? — Bella quer saber.

— Ela teve que ficar em casa, Bella. Tive medo de trazer a Princesa Outono na turnê e perdê-la.

Ela assente com ar sensato.

— Ah, fez bem. Acho que ela não ia gostar de participar de uma turnê. É muita gente para a princesa.

97

— Verdade — concordo, e suspiro mais profundamente do que pretendia.

Bella desaparece e volta com um brinquedo na mão. Sadie Lee levanta as sobrancelhas, e sinto que tenho que dar uma explicação.

— Eu não quero atrapalhar, ser um fardo para o Noah, o Dean e os outros...

Ela balança a cabeça.

— Escuta, meu bem. Eu sei de uma coisa muito importante que você talvez não tenha percebido: o Noah precisa de você aí tanto quanto você precisa dele. Garanto. Estou feliz por você estar aí cuidando dele... não o contrário.

— Mas o Dean...

— Ah, não se preocupa com o Dean, meu bem. Ele está aí para trabalhar para vocês dois e, se não fizer o serviço bem feito, vai ter que se ver comigo.

— Obrigada, Sadie Lee. — Ouço a gritaria na plateia e levanto. A adrenalina me invade, e fico feliz por poder repetir a experiência de ver Noah no palco. — Vai começar, gente! — exclamo, olhando para a tela.

Corro para a lateral do palco, onde Noah pula no lugar para se aquecer enquanto espera para entrar. Ele sorri quando me vê, e viro a câmera do celular em sua direção para garantir uma boa imagem para Sadie Lee e Bella.

— Meu amigo Jake deixou essas caixas aqui pra você poder sentar. — Ele me levanta e me coloca sentada sobre uma caixa no mesmo instante em que as luzes se apagam, preparando sua entrada em cena.

— Boa sorte — cochicho em seu ouvido, e Noah acena para Sadie Lee e Bella pelo celular. Depois, o confiante deus do rock que eu conheço respira fundo e entra no palco.

18

É bom ter a distração de transmitir o show para Sadie Lee e Bella, porque meu nervosismo desapareceu completamente. Percebo que sei todas as letras de todas as músicas de Noah, mas é incrível ouvir a plateia cantando junto.

— Ei, pessoal — ele diz para o público depois de quarenta e cinco minutos de uma apresentação superagitada. — A próxima música é a última. — Ele é interrompido enquanto todo mundo reclama, mas ri no microfone. — Algumas pessoas talvez não saibam, mas essa é a minha canção preferida do disco. Ela fez de mim o cara mais sortudo do mundo. Porque a garota que inspirou essa música está sentada bem ali.

Ele olha para mim. Está suado, com o rosto vermelho e o cabelo molhado e despenteado, mas ainda é incrivelmente lindo, e o mundo todo desaparece quando meus olhos encontram os dele. Só quando escuto os gritos de "Garota de Outono! Garota de Outono!", percebo que a multidão também me conhece. É bizarro.

— Bom, ela é meio tímida, por isso vai ficar fora do palco por enquanto. Mas, Penny, baby, essa é pra você.

Noah toca as primeiras notas de "Garota de Outono", e sou levada de volta ao instante em que a ouvi pela primeira vez, na minha cama, escutando a gravação que ele fez para mim. Quero contar a Sadie Lee como tudo isso é incrível, mas me dou conta de que, no meio de toda a emoção, abaixei o telefone, e Sadie Lee e Bella só conseguem ver a caixa sobre a qual estou sentada. Não é uma imagem muito legal. Levanto o celular, aponto a câmera para Noah e peço desculpas a elas.

Noah termina a canção e, sob aplausos estrondosos, corre do palco diretamente para os meus braços. Voltamos ao camarim de mãos dadas, com o barulho da plateia nos seguindo como uma onda de amor e apoio.

— Você foi incrível! — falo. — O melhor! Estou muito orgulhosa.

— Foi demais! — Noah não consegue parar de sorrir, e sei que minha expressão é um reflexo da dele.

Se VerdadeVerdadeira pudesse nos ver agora, saberia que as ameaças são inúteis. Acho que a vida de astro de rock não é tão ruim, afinal.

— Vó, Bella, o que acharam?

Na tela do celular, Sadie Lee limpa as lágrimas do rosto.

— Noah, nem sei o que dizer. Você iluminou aquele palco.

— Valeu, vó. Você é demais.

— Agora vão se divertir. Vou precisar de uma hora, no mínimo, para acalmar alguém aqui, depois disso. — Bella está correndo na tela, cantando as músicas de Noah com toda a força da voz.

— Boa noite! — Noah e eu falamos ao mesmo tempo, acenando para o telefone. Encerro a ligação, e o ícone da bateria aparece vermelho.

— Ih, preciso de um carregador...

Olho em volta procurando meu cabo perdido. No mesmo instante, a banda de Noah entra no camarim fazendo muito barulho, e até Blake está sorrindo. Ele sorri para mim, e eu retribuo. Talvez tenha me precipitado no julgamento.

— Foi *incrível* — Blake fala quando passa por mim. — Você vai voltar com a gente pro hotel, Penny?

— Não, cara. Eu tenho outros planos pra nós dois — Noah responde por mim. Ele deixa o violão com um dos técnicos, pega a jaqueta de couro e começa a procurar algo na mochila.

— Ah, legal.

Blake dá dois passos, pula nas costas de Ryan e levanta um punho cerrado. Dou risada da cena.

— Aonde vamos? — Olho para Noah com uma sobrancelha levantada.

Ele joga um gorro vermelho para mim e veste um cinza.

— Acho que vai combinar com o seu cabelo.

— Se você acha... — Ponho o gorro na cabeça.

— Toma. — Ele me dá um par de óculos. É só a armação, na verdade, sem as lentes. Noah também põe óculos, que parecem meio tortos.

Ajeito a armação em seu nariz. Sorrio. Se isso tem a pretensão de ser um disfarce, não vai funcionar.

— Você continua lindo. E isso não dá pra esconder — comento.

— Não precisamos de um disfarce completo, só alguma coisa pra despistar um pouco as pessoas. Além do mais, vamos a um lugar onde ninguém espera me ver. Estou contando com isso.

Noah segura minha mão, e eu o sigo.

— Mas *aonde* vamos?

— Vamos ver a boy band mais famosa do mundo, é claro!

Fico pálida e paro onde estou. Ele vira quando solto sua mão.

— Que foi, Penny?

Engulo e fecho os olhos. Não acredito que é isso que ele está sugerindo.

— Você está dizendo que vamos... lá pra fora?

Espero que não, sinceramente.

— Claro! Você não viu o último show, saiu antes. Os caras são ótimos! Além do mais... — Ele se aproxima e segura minha mão novamente. — Vou estar lá com você dessa vez. O tempo todo.

A dúvida deve estar estampada em meu rosto, porque ele se abaixa em um joelho e diz:

— Eu prometo, Penny Porter, que não vou sair do seu lado nem por um segundo!

— Para com isso! — Tenho certeza de que alguém vai fotografar e pensar que é um pedido de casamento, e aí sim teremos um escândalo.

— Tudo bem, eu vou com você — decido, e sinto o rubor subindo pelo meu pescoço, fazendo meu rosto arder.

101

Ele sorri e se levanta.

— Que bom. E, se não gostar, é só me avisar.

— Ah, e a máquina fotográfica?

— Leva, você pode conseguir umas imagens legais da plateia. — Ele afaga minha mão e me puxa para uma porta lateral, depois por alguns corredores e então para a plateia.

19

Sinto o coração bater na garganta quando a escuridão nos cerca. O silêncio é quase absoluto, apesar de estarmos rodeados por milhares de pessoas. A expectativa da multidão cresce enquanto todo mundo espera ansiosamente pela entrada do The Sketch no palco. Aperto a mão de Noah com tanta força que fico com medo de interromper sua circulação. Mas ele não parece se incomodar. Damos mais alguns passos, paramos no meio da multidão, e vejo que ele estava certo — ninguém espera vê-lo ali, por isso ninguém nota nossa presença.

Ele para diante do palco, com várias fileiras de pessoas à nossa frente. O jeito como todo mundo esbarra na gente e pisa em nossos pés me faz lembrar o show de Brighton, mas dessa vez o braço de Noah sobre meus ombros me mantém calma.

As luzes se acendem de repente, e a banda entra no palco. A gritaria começa imediatamente e, contagiada pela agitação, grito também. Até Noah deixa escapar um berro de entusiasmo.

Eles tocam com uma energia frenética, enfileirando um sucesso atrás do outro. Não são só as músicas que contagiam — embora sejam inegavelmente contagiantes —, mas eles são músicos excelentes também, com riffs de guitarra que a gente não escuta nas faixas gravadas nos CDs e tocadas nas rádios.

Quando Leah Brown aparece, a gritaria fica ainda mais estridente, se é que isso é possível. Ela entra no palco da maneira mais dramática possível, pendurada em um suporte que desce do teto, e participa de uma das canções mais vibrantes da banda. A transformação em relação ao que vi mais cedo é impressionante. Ela agora usa um minivestido prateado e brilhante, e o cabelo escovado flutua em torno do rosto como se tivesse um ventilador próprio. Em qualquer outra pessoa aquele visual ficaria ridículo, mas em Leah funciona. Enquanto a música continua, ela é baixada lentamente até o palco, e consigo tirar várias fotos.

Quando Leah finalmente aterrissa, o ritmo da apresentação muda completamente. As luzes brilhantes se apagam, mergulhando todo mundo na escuridão. É como se todas as pessoas na arena prendessem o fôlego. Bem devagar, pequenos pontos de luz aparecem no teto, até criar a impressão de um céu estrelado. É lindo, e Noah me puxa mais para perto numa reação instintiva, me envolvendo com os braços. Eu me reclino nele.

Surgem no palco dois raios de luz, um sobre Leah, outro sobre Hayden, o vocalista do The Sketch, e agora eles estão sentados em banquetas altas. Leah trocou de roupa, o vestido agora é preto e coberto de lantejoulas que refletem a luz, e o cabelo perfeitamente liso cai em torno do rosto como uma cortina.

— Oi, Berlim — diz Hayden. — Vamos tocar uma coisa meio diferente pra vocês agora. Uma música que ninguém nunca ouviu. Espero que gostem.

Ele começa a cantar *a cappella*, e sua voz é forte e clara sem a música de fundo. Leah canta seus versos e, juntos, eles fazem um dueto emocionante sobre amantes que vivem separados.

Sinto lágrimas em meus olhos e, embora ninguém ali tenha ouvido essa canção antes, sei que não sou a única. A emoção inunda a casa de shows. É como se estivéssemos todos ligados pela música. Estamos sentindo a paixão que sei que Noah experimenta quando escreve suas canções. Isto é o que ele quer criar: uma cadeia de notas e palavras capaz de fazer milhares de pessoas se sentirem uma só.

— Eu te amo, Penny — Noah sussurra em meu ouvido.

Aperto os braços dele em torno do meu corpo.

A plateia explode quando a música acaba, e parece que Leah e o The Sketch criaram mais um sucesso. O encanto se quebra — ou melhor, o encanto foi criado. A plateia agora está nas mãos da banda, pronta para segui-la até o fim do mundo. As luzes se acendem novamente, fortes e cintilantes, e as batidas se tornam mais rápidas.

Noah e eu não somos diferentes das pessoas à nossa volta. Dançamos enlouquecidos e cantamos bem alto, ficamos suados e nem ligamos se parecemos bobos. Quando chega a hora do último bis, tenho certeza de que nunca me senti tão feliz na vida.

20

Ainda vibrando depois de uma noite tão incrível, Noah e eu percorremos, eufóricos, o corredor do hotel a caminho do meu quarto (nem ligo se meu desodorante segurou a onda depois de dançar tanto). Continuamos cantando as músicas do The Sketch até chegarmos à porta.

— Vou te deixar aqui, Pen, como um cavalheiro de verdade. — Ele abre a porta e estende o braço em direção ao interior do quarto, quase se curvando. O cabelo está ainda mais bagunçado e encaracolado, agora que está livre do gorro, que ele tirou e jogou no chão sem nenhuma cerimônia. Noah olha para mim com um brilho intenso nos olhos e um sorriso largo, as covinhas surgindo como que por um toque de mágica. Sinto que estou derretendo. Acho que nunca estive mais apaixonada por Noah Flynn do que agora.

— Você não pode entrar um pouquinho? A noite foi muito legal, mas não tivemos tempo pra relaxar e conversar em paz. — Tento convencê-lo com um sorriso que espero ser encantador.

Noah dá risada.

— Desculpa, Garota de Outono, tenho que voltar pra casa de shows e garantir que esteja tudo certo para amanhã. O Dean adora uma checagem.

Acho que não consigo esconder a decepção, porque ele se aproxima e sorri novamente.

— Amanhã vai ser o nosso Dia do Mistério Mágico, Penny. Um dia inteiro só pra nós dois. Prometo que vai ser incrível e completamente movido a bolo. — Noah me beija na boca antes que eu consiga responder.

— Você acha que eu esqueci? — pergunto quando recupero o fôlego. Como alguém consegue ser *tão* charmoso e atraente? Isso ainda vai acabar comigo.

De repente minha boca se abre num bocejo tão grande que eu poderia engolir a cabeça de Noah, com cabelo bagunçado e tudo. Morro de vergonha, mas ele me abraça e aperta contra o peito, que treme enquanto ele ri.

— Acho que você está tão cansada quanto eu — ele diz. — Você não sabe como eu queria ficar aqui com você, mas é melhor ir descansar. Você vai precisar de energia amanhã.

Meu coração bate acelerado quando ele vira para ir embora.

— Boa noite, linda! — ele grita antes de desaparecer no fim do corredor.

Desabo na cama. O maior sorriso do mundo distende meus lábios, e me sinto completamente inundada de felicidade. Deixo escapar um suspiro, rolo até ficar de bruços e chuto os tênis Converse dos pés. Pego o laptop em cima do criado-mudo, abro o programa de e-mails e começo a escrever para Elliot.

De: Penny Porter
Para: Elliot Wentworth
Assunto: RE: Re: Re: Re: O RELATÓRIO ELLIOT

Wiki, Wiki, Wa-Wa-West,

Estou nas nuvens e acho que nunca mais vou descer daqui. Acabei de ter a melhor noite com o Noah. Assisti ao show dele, foi incrível (como sempre), e depois ele me levou para a plateia para ver The Sketch e Leah Brown. Ela foi impressionante, sério. O Noah e eu dançamos, ficamos de mãos dadas e cantamos bem alto até o fim, e eu NÃO ENTREI EM PÂNICO! Bem especial, não?

Tive um daqueles momentos "me belisca" de pensar como o Noah é perfeito e como eu sou sortuda por estar aqui com ele, dando apoio e vendo seu sucesso crescer diante dos meus olhos, e por ter sido escolhida para viver isso tudo com ele. Imagino que você deve estar vomitando na tela enquanto lê, mas estou MUITO feliz. Você também vai gostar de saber que amanhã vou explorar Berlim com o Noah no nosso DMM!

Eu conto tudo quando voltar.

Estou com muita saudade de você, mas também me divertindo horrores!

Pen xxx

26 de junho

Como Sobreviver à Vida Em Uma Enorme Turnê Pop Pela Europa

Então, eu sei que todos vocês estão loucos para saber os detalhes, e adivinhem! Sobrevivi ao meu primeiro dia em turnê! E não só isso... eu gostei! Depois que terminou a apresentação, o Garoto Brooklyn me levou para a plateia para assistir ao show principal, e dançamos a noite toda até ficar suados e nojentos. Mas foi maravilhoso.

Tenho a sensação de que já aprendi muita coisa, apesar de a turnê ter começado há um dia! Querem uma lista das principais dicas? Lá vai:

1. O lanchinho é seu melhor amigo.

Quase não sobra tempo para fazer uma refeição de verdade na correria entre ônibus, hotel e casa de shows. Vou encher os bolsos de barras de cereais, caso eu sinta fome.

2. Tem gente PARA TODO LADO nos bastidores.

Eu nunca pensei que fossem necessárias tantas pessoas para fazer uma turnê acontecer. Não é só o empresário e a banda do Garoto Brooklyn; tem também segurança, assessor de imprensa, fotógrafos, maquiadores, cabeleireiros, gerente de palco, assistente do empresário, assistente do assistente do empresário e mais um milhão de roadies que parecem saber *exatamente* o que fazer.

3. Durma quando e onde for possível.

É o que todo mundo faz. Hoje vi uma pessoa dormindo em cima de uma caixa de som que berrava a música do palco! Acho que é um aviso da falta de sono que está por vir...

4. Não dá para contar com muitos passeios turísticos.

Amanhã o Garoto Brooklyn e eu vamos sair para conhecer Berlim, mas a agenda dele é tão cheia que nem sei como ele conseguiu reservar um tempinho para mim.

É tudo muito empolgante e assustador! Mas vou tentar lembrar de manter o blog atualizado.

Garota Offline... nunca online xxx

21

Na manhã seguinte, meu despertador toca às oito horas, e tento escolher uma roupa confortável, mas legal e chique. Visto uma camiseta branca soltinha e a coloco para dentro de uma minissaia preta pregueada, sem esquecer a corrente dourada com as palavras "Garota de Outono" em letra cursiva gravadas no pingente. Foi o presente que Noah me deu no Dia dos Namorados este ano, e é a coisa que eu mais gosto de usar. Ele me mandou uma mensagem ontem à noite, logo depois que a gente se despediu, dizendo para eu ir encontrá-lo às nove para tomar café e começar o Dia do Mistério Mágico.

Pego a máquina fotográfica e desço de elevador até a recepção. O saguão é o que Elliot descreveria como megamoderno, cheio de balcões pretos brilhantes e paredes brancas, com uma gravura de cores fortes imitando grafite atrás da recepção. O lugar está lotado, e passo pela longa fila de pessoas fazendo check-in, a maioria puxando malas enormes. Começo a imaginar em que tipo de aventura essas pessoas vão se envolver ou já viveram. *Estão sozinhas? Estão fazendo uma viagem romântica pelas cidades da Europa?*

Sento em um sofá de veludo no saguão e noto um lindo vaso de orquídeas. Não consigo me conter, levanto a câmera e fotografo. Orquídeas são uma das minhas flores preferidas, principalmente as brancas. Uma vez Elliot me deu uma de aniversário, e eu a deixei em cima da minha penteadeira, elegante e fresca. Infelizmente essa beleza tem vida curta, e logo percebi como é difícil cuidar delas, porque pus água demais e a flor morreu. Um ano depois, ele me deu um cacto muito fofo em um vasinho de pendurar e disse que, se eu conseguisse matar aquela planta também, nunca mais deveria ter outra! Felizmente, ele continua pendurado em um canto do meu quarto, e passa bem, apesar de eu não cuidar muito dele. Esse é o nível de cuidado que sou capaz de dispensar, e Elliot sabe bem disso.

Olho para o celular: 9h20. Observo a recepção em busca de algum sinal de Noah. Nada. Só a agitação de um hotel movimentado em Berlim, mas nenhum sinal da marca registrada do meu namorado: jeans rasgado e o sorriso branco e radiante. *Ele ainda deve estar se arrumando*, tento me convencer. *Ou planejou algo para nós que exige alguma preparação.*

Eu me recosto no sofá e espero mais dez minutos, vendo as pessoas começarem o seu dia.

— Ah, oi, Penny.

A voz interrompe meu exercício de observação. Viro para trás e vejo um Dean com aparência meio pesarosa, os olhos vermelhos me espiando por cima da armação dourada do Ray-Ban.

— O que você está fazendo na recepção? Já tomou café? Acho que eles param de servir às dez, melhor se apressar se quiser comer um croissant. Eles acabam depressa. — A risada rouca se transforma em tosse. Ele não está nada bem.

— Estou esperando o Noah. Vamos tomar café juntos e sair pra conhecer a cidade.

Dean ri tão alto que a gargalhada ecoa pelo saguão. Algumas pessoas olham para ele com espanto. Quando finalmente se controla, ele diz:

— Você não vai ver o Noah antes do meio-dia. Os garotos ficaram na rua até umas quatro da manhã. Talvez mais, não sei. Eu desisti às três e meia. — Ele cai no sofá ao meu lado. — Foi uma loucura, pra falar a verdade, por isso estou de óculos escuros. Cara, preciso de um café. E não vou recusar uma comida gordurosa.

Meu coração fica apertado. Tento continuar sorrindo enquanto Dean está ali do meu lado.

— Ah, claro, eu esqueci. Que burra. O Noah falou alguma coisa sobre deixar para o meio-dia. — Improviso a resposta enquanto tento pensar em alguma coisa para dizer, qualquer coisa que me faça parecer menos idiota.

— Quer tomar café comigo? Sei que eu não sou tão bonito quanto o Noah, mas posso tocar uns acordes no violão. — Dean levanta e tenta me levar para o restaurante, mas balanço a cabeça.

— Acho que vou voltar para o quarto. Acabei de lembrar que preciso ligar pra casa, avisar que estou viva. Sabe como são os pais... esquecem que a gente não tem mais dez anos e, se não tiverem notícia, podem acabar mandando a polícia e o exército pra cá... ou o meu irmão, o Tom. Vai curar a ressaca. A gente se vê mais tarde.

Antes que Dean insista no convite, levanto e caminho em direção ao elevador. Lá dentro, aperto o botão do meu andar e caio contra a parede, apoiando a testa no espelho frio. Não sei o que é mais perturbador: o fato de Noah não ter me avisado que ia sair, o fato de não ter me convidado, ou o fato de ter saído *e* não ter ido me encontrar para o nosso dia que, como ele prometeu, seria tão especial. Dou uma olhada no celular para ver se ele ligou ou mandou alguma mensagem, mas já sei que não tem nada.

Saio do elevador e, em vez de virar à direita e voltar para o meu quarto, viro à esquerda para ir ao de Noah. Levanto a mão para bater na porta, mas hesito, mudo de ideia e volto pelo corredor até o meu quarto. Noah nunca me deu motivo para ficar preocupada antes, e não quero que ele pense que estou me tornando uma daquelas namoradas grudentas que precisam tomar conhecimento de cada passo do namorado. E se ele ainda estiver se arrumando? E se planejou alguma coisa? Noah pode não ter me convidado para sair na noite passada, mas aposto que a ideia foi do Blake e, conhecendo o cara, sei que Noah não deve ter tido muita escolha.

Quando estiver pronto, ele vai me procurar. Nada vai estragar nosso Dia do Mistério Mágico.

22

Já passa do meio-dia, e aceitei que Noah provavelmente não está ocupado com planos para o nosso dia, nem se arrumando. Pintei as unhas (das mãos e dos pés) com um coral de verão, um esmalte que estava guardando para a viagem, olhei o Instagram e o WhatsApp mais de um milhão de vezes, atualizei meu Snapchat com vídeos e fotos do quarto de hotel e fiz tudo que podia para me distrair sem sair dali, caso Noah aparecesse.

Mando mais uma mensagem perguntando onde ele está e não recebo resposta. Telefono, mas está quase na hora de todo mundo voltar para a casa de shows para a passagem de som, o que diminui muito as chances de ainda termos nosso Dia do Mistério Mágico. Noah não costuma ser tão relapso com o celular, ou relapso de modo geral.

Tento não pensar muito nisso. Cada vez que me sinto mais calma, outra pergunta surge em minha cabeça. *E se aconteceu alguma coisa com ele? E se ele estiver machucado? Ou com algum problema?* As perguntas ameaçam se tornar muito maiores a cada minuto sem notícias dele. Sei que vou ficar maluca se permanecer sozinha no quarto, sem nada para me distrair. Não posso nem mandar mensagem para Elliot, porque já o incomodei demais, e sei que ele e Alex estão juntos hoje. Não vou ficar atrapalhando os dois com minhas mensagens chorosas. Preciso me animar.

Penso em ir ao quarto de Noah, mas me convenço de que ele pode estar dormindo e não vai querer que o acordem. Não é tão ruim. Essa é sua primeira turnê. Ele tem o direito de se divertir. Deve ter esquecido de programar o despertador. Tudo bem.

Ranjo os dentes e sufoco todos os pensamentos negativos que tentam me dominar, estourando cada um como se fossem bolhas de sabão antes que se instalem no meu cérebro. Pego a bolsa, a máquina fotográfica e o laptop e decido ir sozinha para a casa de shows, em vez de ficar pensando bobagem, trancada no quarto do hotel. Lá terei a companhia de parte da equipe, pelo menos, e posso tirar algumas fotos para o meu projeto antes de Noah chegar. Tento ligar para ele mais uma vez antes de sair, mas a ligação cai direto na caixa postal.

Quando chego na casa de shows, Dean me recebe com um abraço. Ele agora parece mais vivo. Café e comida o trouxeram de volta à vida.

— Penny! O que faz aqui tão cedo? O garotão continua dormindo?

— É, achei melhor deixar o Noah dormir enquanto tiro fotos por aqui, depois vou sentar em algum lugar e editar algumas. Tenho um projeto de fotografia em andamento para o ano que vem, e a professora não vai gostar se eu voltar de mãos vazias.

— Ah, bom saber que você tem um hobby. Não esqueça: estou aqui se precisar de alguma coisa. Acho que o Larry vai trazer os meninos daqui a pouco para a passagem de som.

Assinto e vou para o camarim. Tiro o cartão de memória da câmera e transfiro as fotos para o laptop. Tem algumas bem engraçadas que tirei de mim e Noah no aeroporto, outras dele na frente do ônibus, várias dos bastidores e algumas que tirei da plateia ontem à noite. Consegui uma da Leah que dá a impressão de que ela estava flutuando sobre o palco. Incrível. Abro a imagem no Photoshop e começo a brincar um pouco com exposição e filtros de cores.

Sempre adorei tirar fotos, desde o momento em que meus pais me deram a primeira câmera, uma descartável que eu usava no playground. Gostava de tentar pegar as pessoas despercebidas, depois girar o botão na parte de trás da máquina para deixar o filme pronto para a próxima foto. Editar no Photoshop é algo que só comecei a aprender no último ano, e é viciante. Passo horas sentada na frente do computador, fazendo pequenos ajustes nas imagens. Muita gente acha que o Photoshop serve para transformar um rosto manchado em outro impecável, mas é muito mais que isso. Posso acrescentar filtros, ajustar a paleta de cores, consertar uma exposição ruim e deixar as fotos mais vibrantes. A srta. Mills me ensinou que menos é mais quando edito minhas imagens, mas ainda gosto de brincar.

— Uau, que foto incrível!

Quando viro assustada, vejo Leah parada na porta, olhando para a tela do laptop. Devo ter deixado a porta aberta quando entrei no camarim. Sinto vontade de fechar o computador imediatamente.

— Ah, não, não fecha. Sério, ficou muito legal. Posso entrar e olhar mais de perto? — Sem esperar pela resposta, ela se aproxima e senta ao meu lado. — Você gosta de fotografia, não é?

— É, eu... eu adoro. Vi o show ontem à noite, foi incrível. Você estava ótima... e a música que cantou com o Hayden *a cappella*, que coisa linda! — É estranho elogiar Leah Brown. Não sei se ela quer meus elogios, mas estou sendo absolutamente sincera. No entanto, tenho um pouco de medo dela e me sinto intimidada em sua presença. Quando está no palco, ela parece que é de outro mundo, como um ser perfeito de outro planeta, ou uma deusa abençoada com uma beleza sobrenatural. Ela é linda pessoalmente, sim, mas, agora que está sentada ao meu lado, posso ouvir sua respiração, e isso me faz lembrar que ela é como eu. E que não a conheço, na verdade.

— Ah, obrigada, querida. Muito gentil da sua parte. O Hayden é um amor. Já esteve com ele?

Balanço a cabeça.

— O The Sketch não circula muito, sabia? O empresário deles é o melhor do ramo. Você não vai ver os caras bebendo em dia de show. — Leah pisca para mim, mas meu estômago revira quando penso na noitada de Dean e Noah. Leah continua, sem perceber meu desconforto. — Olha, você tem talento para a fotografia. Trabalhei com muitos profissionais que não conseguem esse resultado. Posso?

Respondo que sim com a cabeça, e ela vai passando de foto em foto, até chegar às engraçadas que tirei com Noah.

— Vocês ficam fofos juntos. Fico feliz por estar dando certo, Penny. É sério. — Ela põe a mão sobre a minha, e sinto imediatamente seu calor. A Leah Brown que eu achava que conhecia está desmoronando diante dos meus olhos?

— Obrigada — respondo. — Acho que somos fofos mesmo! Ainda não consigo acreditar que está tudo resolvido.

— Acho que estou com inveja! — Ela sorri para mim. Não é um sorrisinho frio e sarcástico; é um sorriso de verdade, franco. — É difícil conhecer gente decente nesse meio. E, acredite, também não achei divertido ter que fingir que me relacionava com um cara que não gostava de mim de verdade.

De repente percebo como deve ter sido difícil para ela, embora nunca tenha pensado na situação por esse ângulo. Noah se retirou do mundo, foi morar com a avó no Brooklyn e abandonou Leah, que ficou completamente sozinha no meio de toda aquela especulação sobre o relacionamento. Ela teve que ser profissional, enquanto Noah escapou como o amador que não suportou a pressão.

— Não entendo por que você teve que fingir. Aposto que tem um monte de caras atrás de você!

Ela ri.

— É, mas não são aqueles que a gente quer, sabe? E eu nunca mais vou fingir. Demiti meu empresário depois daquela história. Mentir desse jeito não vale a pena. Espero que o Noah saiba que tem muita sorte. É fácil se deixar levar por todas as outras coisas e esquecer o que é real.

— Acho que eu é que tenho sorte por ele me querer aqui. Mas nós apoiamos um ao outro, sabe? — Olho para ela com ar esperançoso.

— É, eu sei. Muito fofos. É difícil ficar brava com vocês dois. Ah, droga, lasquei o esmalte. — Leah pula do sofá e grita para a assistente. — CLAIRE, LASQUEI MEU ESMALTE! PODE MANDAR A MANICURE URGENTE? — Ela vira para mim. — Penny, tenho que ir. A gente volta a conversar antes do fim da turnê. É bom ter uma companhia feminina. A energia masculina neste lugar é insuportável às vezes.

Não consigo evitar um sorriso, porque eu também já pensei a mesma coisa. Ter Leah por perto não vai ser tão ruim, afinal.

117

— Foi legal conversar com você.

— Foi sim, gata. — Ela joga um beijo para mim e sai do camarim. Escuto o barulho dos saltos lá fora e outra voz falando com ela. Eu reconheceria aquela voz em qualquer lugar: Noah.

Ele surge na porta e parece muito envergonhado.

— Pen, desculpa. — Ele senta ao meu lado e segura a minha mão. — O Blake praticamente me forçou a ir àquele bar que ele achou, e, quando dei por mim, eram quatro da manhã e a gente estava voltando a pé pro hotel. Programei o despertador pra hoje de manhã e acho que desliguei dormindo quando ele tocou! Estraguei nosso dia perfeito.

Nessa hora Blake entra no camarim com o capuz do moletom na cabeça e óculos escuros, espalhando no ar um cheiro podre de cervejaria e cinzeiro.

— Penny, que noite! Fiquei com uma alemã que conheci depois do show de ontem, ela e as amigas são muito legais. O Dean dançou em cima da mesa, e o Noah ficou *muito* bêbado. Nunca tinha visto o cara daquele jeito... A gente teve que levar ele de volta carregado! — Blake ri de um jeito histérico.

Noah olha para mim como se pedisse desculpas de novo, e Blake continua falando sobre como a noite foi louca. Não sei dizer se Noah quer que o chão se abra para engolir ele mesmo... ou o Blake.

Noah afaga minha mão.

— A gente vai ter um dia incrível na próxima cidade, prometo. Todo bolo e toda cultura que você quiser. — Ele fala baixo para ninguém ouvir, mas dá azar. Blake está prestando atenção.

— BOLO E CULTURA? Tá brincando, Noah? Isso aqui é uma turnê, não uma excursão de colégio! Para de ser otário. — Blake olha feio para Noah, depois para mim.

— Por favor, fica quieto só um minuto. — Noah parece irritado.

— Por quê? Está com dor de cabeça? — Blake gargalha outra vez, mas felizmente sai do camarim.

Agora somos só Noah e eu.

Ele revira os olhos e me encara.

— Penny, por favor, fala alguma coisa. Desculpa, estou muito arrependido, de verdade. Não vai acontecer de novo. Eu entrei na onda.

Enquanto isso acontece, só consigo pensar no que Leah me falou sobre como é fácil se deixar levar por tudo. Não posso impedir Noah de nada, nem quero. Não pretendo ser esse tipo de namorada. Ele tem dezoito anos, está vivendo um sonho e se divertindo. Tenho que ficar feliz por ele, ou vou perdê-lo para sempre.

— Tudo bem, Noah, para de ser bobo. Achei um monte de coisas pra fazer e tive um dia bem legal mesmo assim. É bom saber que você se divertiu ontem à noite. — Sorrio, beijo seus lábios e despenteio seu cabelo. Depois torço o nariz. — Mas não vou mentir, você está fedendo!

Ele faz uma careta.

— Não deu tempo de tomar banho. O Larry me acordou e eu vim direto pra cá.

Jogo uma toalha para ele. Noah a pega no ar e me beija a caminho do banheiro, já tirando a camiseta. Meu queixo cai quando vejo os músculos de suas costas, definidos por horas e horas no palco e muito esforço na academia.

Ele sorri e joga a camiseta fedida para mim, e faço uma careta quando ela cai bem no meu rosto, estragando a paisagem.

23

É tarde quando voltamos para o hotel depois do show, mas Noah ainda está carregado de adrenalina. Pedimos hambúrguer pelo serviço de quarto e acabamos de sentar na minha cama quando alguém bate na porta.

— Que rápido! — brinco.

Noah abre a porta para Dean.

— Oi, Noah. Oi, Penny... Achei vocês. Trouxe uma coisa. Acho que é só isso — ele diz e grunhe enquanto arrasta um enorme saco preto para dentro do quarto.

Olho para Noah e franzo a testa. Não entendo por que Dean trouxe um saco cheio de lixo para Noah.

— Ah, caramba! Valeu, cara. — Noah abre o saco. Está cheio de bilhetes e presentes de fãs. — Que loucura! Isso é tudo de hoje?

Dean confirma com a cabeça.

— Sim, elas deixam coisas aqui o dia inteiro! Achei que você ia querer dar uma olhada em tudo agora, antes que chegue mais. Sei que você gosta de acompanhar tudo. Acho que vi alguns envelopes com o seu nome, Penny. — Dean pisca para mim.

— O meu? Sério? — Olho para o saco preto como se fosse radioativo. Quem ia querer escrever para mim?

Noah levanta o saco plástico e o esvazia em cima da cama. As cartas e os presentes cobrem quase toda a superfície da colcha branca e limpa.

Pego algo que chamou minha atenção: um retrato de Noah feito com caneta esferográfica. A obra é muito detalhada e fiel, com cada traço reproduzido perfeitamente em tinta azul, até as covinhas.

— Nossa, suas fãs são talentosas! — comento, ofegante e... meio assustada.

— Ah, olha, tem uma aqui pra você — diz Noah.

Ele empurra um envelope amarelo em tamanho A4 na minha direção. Abro o envelope e, por alguma razão, fico nervosa com o que pode ter lá dentro. Quem mandaria correspondência de fã para *mim*?

Viro o envelope e algumas folhas de papel caem em cima da cama. Abro uma delas e vejo a impressão de um post do *Garota Online*. Tem uma anotação manuscrita na margem.

Querida Penny,

Só queria contar que enorme inspiração você foi para mim quando escrevia o seu blog. Eu adorava, principalmente quando você começou a sair com o Garoto Brooklyn. Você me fez ter esperança, acreditar que o amor existe e que talvez possa acontecer na minha vida. Também achei que você foi muito corajosa no começo do ano... mas é triste que tenha encerrado o blog.

Comecei a escrever por sua causa. Meu blog não chega nem perto do Garota Online, mas, se quiser dar uma olhada, o link está aí embaixo.

Sua amiga,
Annabelle

Aperto a folha contra o peito. Não acredito que alguém escreveu isso para mim! A carta me preenche com um sentimento quente, vibrante, e sei que vou guardá-la para sempre.

— Bom, seus malucos, eu vou pra cama — Dean avisa. — Lembrem: amanhã começamos cedo. Ninguém vai perder o ônibus.

Nem percebi que ele ainda estava ali.

— Tudo bem, Dean-o — Noah responde.

Dean faz uma careta de desgosto ao ser chamado pelo apelido, depois acena e fecha a porta.

Noah fica quieto, sério. Sei que ele se sente sufocado com tanta atenção; ainda não é uma coisa com a qual tenha se acostumado, mesmo depois de tanto tempo. Será que ele vai se acostumar algum dia? De certa forma, espero que não. Isso não pode ser normal nunca!

Olho de novo para a pilha de coisas e me surpreendo com outro envelope com meu nome. Esse é fofo, como se tivesse plástico-bolha no interior. Rasgo o envelope com mais entusiasmo.

Mas o entusiasmo se transforma em medo quando leio a mensagem. Largo o papel como se pegasse fogo, jogando-o o mais longe possível de mim.

— Que foi? — Noah pergunta, assustado.

Balanço a cabeça e aponto a carta.

Ele a pega do chão. É uma impressão de nossas conversas por mensagem. Algumas palavras foram contornadas, e elas formam uma frase: "Vá para casa, Penny, ou vai se arrepender".

Embaixo, a assinatura: "VerdadeVerdadeira".

Fico abalada e confusa. Era disso que eu tinha medo. Pensei que a primeira mensagem fosse um caso isolado, mas é evidente que não. Isso significa que VerdadeVerdadeira está em Berlim?

Para minha surpresa, Noah não fica bravo, nem vagamente aborrecido. Parece aliviado. Ele segura minha mão e me puxa para perto.

Eu reluto, não entendo por que ele não está incomodado com isso, mas a verdade é que um abraço de Noah vai me fazer sentir muito melhor.

Ele beija minha testa.

— Agora tenho certeza, é só alguma maluca, mais nada. Ninguém vai te fazer mal, eu garanto. Vamos deixar a carta com o Larry, ele vai ficar de olho. Faz parte do trabalho dele.

Faço que sim com a cabeça, e ele me abraça mais forte. Isso é real. Nós somos reais. A carta é só uma fantasia doente.

— Você acha mesmo que uma fã sua quer que eu vá embora?

Noah olha para mim de um jeito engraçado, e percebo que falei bobagem. É claro que tem muitas fãs que me querem fora de cena. Vi a adoração e o amor por Noah, o público quase fanático. Quantas daquelas garotas se imaginam no meu lugar?

— Por favor, não me deixa sozinha hoje. Não vou conseguir dormir.

— Sei que Noah não gosta da ideia de desobedecer às regras impostas pelos meus pais, mas também sei que ele respeita meus sentimentos e não vai tentar nada que eu ainda não me sinta preparada para aceitar. Eu confio nele.

Fico aliviada quando ele assente.

— Vou tirar tudo isso daqui para podermos dormir. Amanhã eu olho tudo no ônibus.

Vou ao banheiro e lavo o rosto. É bom me limpar das coisas daquele dia. O reaparecimento de VerdadeVerdadeira me faz sentir suja, mesmo que seja só uma fã maluca, como Noah diz. Escovo os dentes e visto meu pijama mais confortável. Penso em todas as garotas que gostariam de estar aqui, e isso me deixa um pouco triste. Elas ainda iam querer meu lugar, se soubessem quanto tudo isso é difícil?

— Sabia que você é a garota mais linda que eu já vi? — Noah comenta quando saio do banheiro de pijama. — E me faz manter os pés no chão no meio de tudo isso. — Ele aponta o saco preto com todos os presentes das fãs, agora em um canto do quarto. Sento na cama ao lado dele. — Você não merece o que está acontecendo — Noah continua —, e prometo que, quando essas duas semanas malucas terminarem, vamos ficar juntos e sair, só nós dois. Sem cartas malucas, quartos anônimos de hotel e viagens cansativas. Finalmente você vai ver Nova York no verão! É tão mágica quanto no Natal, se não for melhor.

— Que delícia — respondo e começo a pegar no sono com ele afagando meu cabelo.

— Não esquece, Penny. Somos você e eu contra o mundo.

24

Quando acordo na manhã seguinte, ainda é cedo. Nossos braços e pernas estão enroscados, como se fôssemos um quebra-cabeça humano. Levanto delicadamente o braço de Noah da minha cintura e vou saindo de baixo dele com cuidado, escorregando pelo lençol até a ponta do meu pé tocar o carpete no chão.

Pego meu celular em cima do criado-mudo e dou uma olhada rápida em tudo que aconteceu desde ontem à noite. No Instagram, vejo uma foto de Kira na praia em Brighton, com os pés na água. Quase consigo sentir o movimento das ondas, o vento no cabelo, ouvir as gaivotas... É inacreditável, mas sinto saudade daquela praia de cascalho.

Tem várias mensagens no WhatsApp. Megan fez um relato minuto a minuto do encontro que teve com um garoto que se formou no nosso colégio no ano passado, Andrew. Ele a levou ao Centro de Vida Marinha. Vejo várias fotos dos dois juntos na frente de peixes coloridos, com o rosto iluminado pela luz azul e misteriosa. É estranho, porque sei que Megan adoraria estar onde eu estou, em turnê com um astro do rock e vivendo essa vida louca, mas às vezes meu maior desejo é que Noah e eu pudéssemos ter encontros comuns, como um casal normal.

Recebo uma nova mensagem.

Acordada?

É Elliot. Respondo depressa:

> Sim! Acabei de acordar, literalmente. Vc
> acordou cedo!

Entro cedo na revista. E aí, como estão as
coisas nesta linda manhã?

> Não dormi muito bem. Recebi outra
> mensagem de VerdadeVerdadeira. Chegou no
> meio das coisas deixadas pelas fãs do Noah.
> Ele tem certeza que é só uma maluca, e eu
> torço para isso parar.

Ninguém é famoso até arrumar um stalker!
Faz parte. Mas se cuida. Acho que não é uma
boa ideia te contar tudo que sei sobre
stalkers de outras celebridades, né?

> POR FAVOR, NÃO!! Já estou surtando de
> medo. Tenho que ir, o Noah está acordando.

Quê?! Ele está aí? Vcs...

> Não!!!

Calma, é brincadeira. Vcs são muito fofos. Diz
para o N que eu mandei um oi.

— Tudo bem? — Noah se inclina e beija meu ombro.

— Só o Elliot sendo xereta! — falo, rindo. — E me assustando com histórias de stalkers.

Ele balança a cabeça.

— Não deixa o Elliot... ou melhor, essa maluca te assustar. Vamos enfrentar isso juntos. Você e eu contra o mundo, lembra?

Sorrio.

— Lembro.

— Legal. Agora é melhor a gente se arrumar, ou o ônibus vai embora sem nós!

Na viagem de Berlim para Munique, passamos por toneladas de oportunidades para fotos, mas não há tempo para parar. Cada cenário desaparece rapidamente do outro lado do vidro. Os campos são cheios de flores, e cada cidade que atravessamos tem seus prédios antigos e adoráveis. Até os cafés de beira de estrada são pitorescos.

Os outros garotos dormem nas camas no fundo do ônibus, mas Noah e eu sentamos no sofá para uma maratona de filmes da Disney. Na metade de *Aladdin*, percebo que a maratona Disney é uma corrida solitária: Noah apagou e passa o restante do trajeto dormindo com a cabeça apoiada em meu ombro. É muito legal ficar assim com ele, ouvindo sua respiração profunda e viajando pela Alemanha. Seu cabelo tem um cheiro limpo e fresco, e de vez em quando respiro uma onda mais forte de sua loção pós-barba. Pego a câmera e tiro algumas fotos de nós dois.

— Penny?

Olho para cima quando Dean me chama. Ele senta em uma cadeira ao meu lado.

— O Noah me contou sobre a carta no meio das coisas deixadas pelas fãs. Desculpa. Tentamos fazer uma triagem, mas não é fácil. Tem alguma coisa que eu possa fazer pra te deixar mais calma?

Balanço a cabeça.

— Não, acho que só preciso aprender a lidar com isso.

— Bom, não esquece que eu estou aqui pra ajudar você, além do Noah. — Ele olha para Noah, que dorme profundamente, e baixa o tom de voz. — Posso dar um jeito de você voltar pra casa, se achar que tudo isso é... demais.

Em vez de ficar zangada com a sugestão, o que eu sinto é alívio. É bom saber que existe uma rota de fuga, se eu precisar. Mas espero que não seja necessário.

— Obrigada, Dean. Isso me faz sentir melhor.

— Por nada, Penny. Eu sei que tudo isso pode ser pesado. Acho que não quer que fiquem lembrando, mas você ainda é muito nova. Eu falei com seus pais, lembra? Me sinto responsável!

Dou risada.

— Como você lida com tudo isso? Não acha que é uma loucura?

Ele sorri.

— Está brincando? Eu vivo pra isso! E o Noah é a minha estrela. Eu soube desde a primeira vez que o vi no YouTube. Quanto tempo faz? Quase dois anos? Consigo até lembrar o que eu estava fazendo quando o vi pela primeira vez. Estava procurando uma música do Fleetwood Mac, e o Noah tinha gravado um cover.

— Ah, de "Landslide"? O Noah me mostrou.

Dean estala os dedos.

— Exatamente! Não era o que eu procurava, mas era mágico. Eu não conseguia parar de olhar, e pensei: *Esse garoto é especial.* Muitos empresários e caça-talentos têm essa sensação, mas eu tenho sorte. No meu caso, era verdade. Passei de empresário de um bando de cantores de casamento para o grande palco!

— O Noah tem sorte de poder contar com você.

Ele ri.

— Ah, eu faço o que puder para ver esse garoto feliz e cantando. Ele é muito importante pra mim.

Assinto.

— Eu me sinto uma boba de me preocupar com algumas mensagens, quando é a carreira do Noah que está em jogo. E o meu relacionamento não é o único que enfrenta grandes desafios.

— Como assim?

— Ah, existem os problemas da vida real. Meu amigo Elliot, por exemplo, tem um namorado incrível que, infelizmente, ainda não saiu do armário para a família e os amigos. Esse sim é um problema de verdade. Os meus são superficiais em comparação.

Dean dá de ombros.

— Os dois são jovens. Algumas pessoas são mais confiantes que outras. Tenho certeza que vai dar tudo certo. E você, pelo jeito, apoia muito o seu amigo. Você ficaria surpresa com quanto a lealdade é coisa rara, Penny.

— Espero que dê tudo certo mesmo. Eu só quero que o Elliot seja feliz. Pra mim, ele é a pessoa mais importante do mundo... depois do Noah, é claro.

Dean dá risada.

— Bom, cutuca o seu namorado preguiçoso. Estamos quase chegando e ele precisa trabalhar.

25

— Estou acordado, estou acordado — Noah fala com voz sonolenta. — Uau, Munique é incrível.

Olho pela janela para ver a que ele se refere. Os prédios aqui são mais pitorescos do que em Berlim, onde o clima é mais moderno. É como uma versão real das imitações dos mercados alemães de Natal para onde meus pais arrastam a mim e ao Tom todos os anos em Brighton. Lá bebemos *glühwein* (ou chocolate quente, no meu caso), comemos *bratwurst* com mostarda quente e enfiamos as mãos nas pilhas de neve falsa. Olhando para uma cidade alemã de verdade, percebo que esse seria o cenário perfeito para um conto de fadas e imagino como deve ser no inverno, com a neve cobrindo tudo feito cobertura de bolo.

Quando chegamos ao local do show, os roadies já começaram a montar o equipamento e preparar tudo para hoje à noite. Noah segura minha mão enquanto somos levados para os bastidores, e sinto que estou começando a me acostumar com essa coisa toda de turnê.

Noah para do lado de fora do camarim.

— Olha só, vamos ter uma reunião chata agora sobre detalhes técnicos. Ouvi dizer que alguns parentes e amigos do pessoal do The Sketch estão reunidos numa outra sala. Quer ir dar uma olhada? Acho que não demoro mais que uma hora.

— Tudo bem — respondo, mas devo parecer insegura, porque Larry se aproxima e apoia um braço pesado sobre meus ombros.

— Vem, Penny. Eu te levo.

— Obrigada, Larry.

Noah e eu nos despedimos com um beijo, e ele vai para a reunião.

Larry me leva para uma área espaçosa bem atrás do palco. Tem muita gente ali, pessoas relaxando em enormes pufes fofos e coloridos e bebendo café em copos de papel. Vejo dois membros do The Sketch andando por ali, e tenho que fazer um esforço enorme para não pegar o celular e mandar uma foto deles para os meus amigos. Em um ambiente de bastidores, isso não seria considerado apropriado.

Larry me leva para perto de uma mesa cheia de bebidas e comidas.

— Come alguma coisa, depois se apresenta.

— Ah, eu não sou muito boa nisso...

— Claro que é. Oferece uma xícara de chá. Eles vão achar seu sotaque tão fofo que vão querer ser seus amigos. — Larry dá um tapinha no meu ombro e vai descansar em um dos pufes.

Dou risada quando ele afunda no pufe mole e sem forma. Acho que nunca vi um segurança perder a pose tão depressa, mas, de algum jeito, ele consegue se recuperar. É melhor ainda quando tira um livro do bolso, e tem um casal se beijando na capa cor-de-rosa. Quem poderia imaginar que Larry gosta de um romance?

Sigo seu conselho e me aproximo da mesa. Tem muitas opções de comida e bebida, inclusive todos os chás do mundo, do inglês normal a camomila e hortelã. Também tem café, que eu evito, porque aumenta minha ansiedade. Sou atraída por uma bandeja de cupcakes decorados com cores fortes, e dou a volta na mesa para olhar mais de perto.

— Hum, isso é *muito* bom — uma voz comenta perto de mim. Levanto a cabeça e vejo uma garota linda de cabelo castanho longo e liso parada ao meu lado. Ela estende a mão. — Oi, meu nome é Kendra. Sou namorada do Hayden. Você é a Penny, não é?

Aperto a mão dela e sorrio.

— Sou, oi. Nossa, eu nem sabia que o Hayden tinha namorada. — De repente percebo como o comentário foi deselegante e cubro a boca com as duas mãos.

130

Mas ela ri, e seus olhos azuis brilham.

— É, eu sei, não sou como você. Sou uma autêntica NS.

— NS? — pergunto confusa.

— Namorada secreta — ela explica com uma piscadinha. — É melhor para a imagem dos caras se as fãs pensarem que eles são solteiros. Mas, pode apostar, o Hayden não ia durar um dia sem mim por perto para mantê-lo na linha! E eu não me importo. Trabalho na equipe da turnê como maquiadora, e isso me dá uma boa desculpa pra ficar por perto. E comer cupcakes, é claro. — Ela pega um. — Por que você não vem sentar com a gente? — Ela aponta uma mesa cheia de outras garotas lindas como Kendra.

— Ah, obrigada. — Eu a acompanho até a mesa segurando um cupcake, e me sinto cada vez mais consciente de que estou vestindo um jeans velho e uma camiseta simples, enquanto Kendra, chique e casual, veste jeans skinny preto rasgado nos joelhos e uma blusa branca leve com recortes no pescoço. Acabamos de descer do ônibus, e nem pensei na roupa que estava usando. — Adorei sua blusa — falo para Kendra quando nos sentamos.

— Obrigada, é da Chanel — ela responde com um sorriso. — O cartão de crédito do Hayden garante sempre a minha melhor aparência!

— O Noah ainda não te equipou? — pergunta outra garota, que Kendra apresenta rapidamente como Selene. Ela usa delineador dourado bem puxado, que contrasta com a pele escura.

— Eu, hum... — Quase explico que compro todas as minhas roupas nos bazares beneficentes de Brighton, mas decido que isso não vai me fazer parecer muito descolada.

— Ele trouxe a garota na turnê. É o mínimo que pode fazer pra ajudar um pouco — Selene insiste, em resposta ao olhar de alerta de Kendra. As duas continuam falando sobre mim como se eu nem estivesse ali. — Fala sério, ela nem é uma NS. Só sei que eu não ia querer a minha foto estampada nas revistas sem me preparar antes. Mas acho que temos mais sorte. — Selene e Kendra olham rapidamente para Pete, outro membro do The Sketch.

— Como assim? — pergunto e olho na mesma direção.

— O Pete está com a Anna há dois anos, mas eles quase não se veem. Faz três meses que se viram pela última vez, e ainda faltam três meses para o próximo encontro — explica Selene.

Kendra suspira e olha para as unhas.

— Mais tempo ainda na estrada.

Elas falam sobre como vai ser a próxima etapa da turnê, que vai acontecer em lugares ainda mais distantes, como Dubai, Cingapura e Austrália. Não consigo evitar o pensamento de que já estarei em Brighton com meus amigos.

Kira tem um enorme mapa-múndi pendurado na parede do quarto e, cada vez que visita um país, ela o risca no mapa. Seu grande sonho é viajar o mundo todo, e costumávamos conversar sobre todos os lugares que visitaríamos, se pudéssemos. Eu não sabia nem se conseguiria viajar para algum lugar, por causa da minha ansiedade, mas era divertido fantasiar com ela. Ainda não consigo acreditar que parte daquela fantasia está se realizando, e do jeito mais surreal que se pode imaginar.

A voz de Selena interrompe minha reflexão:

— Gostando da vida em turnê, Penny?

Eu me contraio um pouco.

— Ah, eu... acho que leva um tempo pra se acostumar.

— Estamos nessa vida há mais de um ano. Você vai acabar pegando o ritmo. — Kendra sorri para mim e eu retribuo, agradecida por ela tentar me fazer sentir melhor.

— Você tinha um blog, não tinha? — Selena pergunta.

— Sim, mas parei no fim do ano passado.

— Ainda bem. Você não ia poder sentar aqui e conversar com a gente se fosse escrever no seu blog tudo o que acontece. Os empresários iam ter um ataque!

— É, eu sei... Mas não sou mais a Garota Online. Agora sou só a Penny. — De repente sinto um arrepio quente na nuca, o alerta da ansiedade, e percebo que preciso sair dali o quanto antes, ou as coisas podem se complicar. Fico em pé. — Vou procurar um banheiro. Foi muito legal conhecer vocês, meninas.

— Foi sim, Penny! Vem conversar com a gente mais vezes. Assim você vai se tornar membro oficial das EENs, as esposas e namoradas da turnê!

Assinto e sorrio, depois me afasto para ir ao banheiro. Empurro a porta pesada, entro e tranco. Fico apoiada nela por um momento. Sei o que estava me deixando em pânico: quanto mais eu convivo com gente que faz isso há muito tempo, mais tenho medo de descobrir que não é para mim. Não tenho nenhum talento que possa me tornar útil na equipe de Noah, e não gosto de moda e música o suficiente para me entrosar com as outras garotas. Gosto da minha casa, da minha cama e de ter minha família por perto. Mas também gosto do Noah.

Olho para o espelho. Pensar em conviver com aquelas meninas me faz sentir totalmente inadequada. Meu cabelo ruivo e comprido está enrolado, meio despenteado. Afasto algumas mechas do rosto e passo um dedo sobre minhas sardas; elas aparecem mais no verão. Os olhos verdes me encaram no espelho e eu franzo o nariz, fazendo uma careta engraçada.

Queria saber me maquiar melhor, como Selena. Os olhos são o que mais gosto em mim. São verdes, naquele tom que a gente só vê nos vampiros de séries de televisão, e mudam de cor com a iluminação. Meu pai diz que são olhos de vidro do mar, por causa dos pedaços lisos de vidro que o mar joga na praia. Ele e minha mãe me deram um colar de vidro do mar verde-garrafa no meu aniversário de dezesseis anos, e ele combina perfeitamente com meus olhos.

Penso na noite passada e em como relaxei completamente usando meu pijama confortável com Noah. Não importa o que as outras pessoas vão pensar. Noah me ama como eu sou, com ou sem maquiagem. Olho para o relógio no meu pulso e me surpreendo ao descobrir que já se passou quase uma hora. *Será que a reunião de Noah já acabou?*

Volto ao camarim e bato na porta, mas o movimento a empurra e descubro que ela está só encostada.

O que vejo do outro lado é uma visão totalmente indesejada: o traseiro pelado de Blake.

133

26

Blake está nu, correndo pelo camarim com o violão de Noah, e todo mundo está rindo muito. Não sei para onde olhar.

— Hããã... OI, PESSOAL! — falo bem alto para avisar que entrei na sala. Não faz diferença. Vejo Noah e sento ao lado dele no sofá, tentando desesperadamente desviar os olhos. Ele ri tanto que está quase dobrado ao meio.

— Ah, oi, P! — Noah me abraça e beija meu nariz.

— Poupe a gente da agarração, Noah — Blake grita.

— E você me poupe de te ver pelado! — grito de volta.

Noah explode em gargalhadas de novo, e Blake olha para mim, horrorizado. Fico vermelha, mas estou orgulhosa por ter conseguido responder às palhaçadas dele.

Quando finalmente supera o ataque de riso, Noah diz:

— Todo mundo pra fora. Quero ficar um pouco com a Penny antes do show.

— Sério, cara? Não posso nem vestir a cueca primeiro? — Blake reclama.

— Você fez a cama, agora vai ter que deitar. Mas pega isso aqui... — Noah pesca a cueca de Blake com a ponta de uma baqueta, torce o nariz e a joga do outro lado da sala. Blake a pega no ar e caminha sem pressa para a porta enquanto vai se cobrindo com o restante das roupas, que enrola formando uma bola.

134

— O que foi isso? — pergunto a Noah depois que todo mundo sai.

— Ah, palhaçada do Blake. Ele estava ameaçando tocar meu violão completamente pelado hoje à noite. — Noah dá risada.

— Sei. — Levanto uma sobrancelha.

— Desculpa, Penny. — Noah levanta meu queixo com os dedos e sorri para mim.

— Por quê?

— Achei que teríamos mais tempo pra nós. Mas a turnê me ocupa muito mais do que eu imaginava. — Ele solta meu queixo e passa a mão na cabeça. — A imprensa está cada vez mais interessada em mim, toda hora tenho que dar entrevistas, e quero que a turnê seja incrível pra todo mundo, além de pra mim. As críticas são boas, e quero que continuem assim. Preciso ensaiar muito e, se não estou ensaiando ou atendendo a imprensa, estou dormindo. Já me sinto exausto, e ainda estamos na metade do caminho.

— Eu sei... — Tento demonstrar que entendo como ele se sente, mas é como se uma comporta tivesse sido aberta. As palavras jorram, Noah não para de falar.

— Além disso, este é um momento muito estranho pra mim. Estou fazendo o que sonhei desde pequeno, e não tem ninguém da minha família comigo. Não recebo mensagens dos meus pais perguntando sobre a turnê, como o resto da banda. Não tenho pais que falem comigo todo dia pelo Skype, que cuidem de mim, como os seus. O foco da Sadie Lee é o bem-estar da Bella. Eu tenho dezoito anos. Não preciso dela tanto quanto a minha irmã. Sou só eu, sozinho. — Ele desaba no sofá e, sentado, começa a traçar o contorno da tatuagem de notas musicais em seu pulso. — Mas hoje... prometo que hoje à noite vamos sair pra jantar depois do show. Eu te devo isso. Eu sei.

— Você não me deve nada, Noah. Eu te amo! E você não está sozinho, eu estou aqui. Posso fazer o que você precisar que eu faça. Quero ajudar, tornar tudo isso mais fácil pra você. Só quero te ver feliz.

— Eu estou feliz, Penny. Mais feliz do que estive em muito tempo. Mas é que é meio triste também, sabe?

135

Passo um braço em torno dele e o puxo para um abraço. Por que não percebi que Noah não estava bem? Só agora penso em toda a pressão que ele deve estar sentindo.

— Me deixa te ajudar. O que eu posso fazer? — Pulo do sofá e olho em volta.

— Sério, Penny, não precisa fazer nada. Estar aqui já é suficiente.

— Não, deve ter alguma coisa. Aceita minha ajuda com uma coisa, pelo menos? Uma coisinha?

Abro o frigobar e pego uma vitamina de frutas. Depois vou buscar um copo em cima da mesa e sirvo a vitamina. Corto um morango e encaixo metade da fruta na beirada do copo, e o resultado é uma bebida que poderia ser servida em qualquer hotel elegante. Acrescento o canudo.

— *Voilà!* — anuncio, virando para mostrar meu trabalho. Dou alguns passos na direção dele e, de repente, meu pé fica preso. Olho para baixo e vejo o pé da mesinha de centro e o chão cada vez mais perto do meu rosto. Quando caio, a vitamina voa na direção de Noah. Vejo seu rosto horrorizado quando a bebida cor-de-rosa respinga em sua roupa toda.

— NÃO! Ai, não, Noah! DESCULPA! — Pulo e começo a limpar com a mão a mistura grudada em sua camiseta.

A expressão dele é séria... até a explosão da gargalhada.

— Agora chega! Você vai ter que me abraçar! — Ele abre os braços e dá um passo em minha direção, o peito sujo de vitamina bem perto do meu.

Grito e fujo, e acabamos brincando de pega-pega pelo camarim. Ele me alcança quando fico encurralada entre o sofá e a pilha de estojos vazios de violão, e me abraça apertado. Eu me encolho quando a vitamina grudada na camiseta dele se espalha entre nós.

Noah beija o topo da minha cabeça.

— Ainda bem que eu só tenho camisetas pretas — diz. — Vou trocar esta aqui.

Ele dá uma piscadinha quando tira a camiseta e procura outra na mochila. É inacreditável, mas eu sou a pessoa mais tonta, mais desajeitada do mundo, e Noah *ainda* me ama.

Vestido com uma camiseta limpa, ele age como se o desastre da vitamina nunca tivesse acontecido. Então me beija no rosto e sai. Alguns momentos depois, ouço a multidão gritando, eufórica.

Noah está fazendo o que ama, e isso é tudo o que importa para mim.

27

Depois de me limpar, assisto ao restante da apresentação de Noah. Estou com Kendra e Selene em uma pequena galeria na coxia, mas volto ao camarim antes de Noah. Espero que a gente possa sair imediatamente para jantar.

Fico feliz quando vejo Noah entrar. Ele está vermelho por causa do esforço, mas seu sorriso é largo e satisfeito. Dean entra logo atrás com um casal que eu não conheço. Nenhum dos dois está vestido para um show de rock, e eles parecem ter combinado o esquema de cores — terno e tailleur cinza com camisa branca. São roupas para uma reunião, não para um show.

— É aqui que eu relaxo antes e depois do show. — Noah mostra o camarim, depois põe as mãos nos bolsos da calça jeans. É esquisito, mas ele parece nervoso. Normalmente transborda confiança depois de uma apresentação, por isso estou curiosa com a presença dessas pessoas.

— Muito bacana — o homem comenta.

A mulher tenta disfarçar, mas franze o nariz. Sinto vontade de rir. Já me acostumei com o cheiro dos músicos.

Minha risadinha chama a atenção dos visitantes.

— Quem é ela? — a mulher pergunta, olhando para mim. É evidente que estranha minha presença, como se eu não tivesse a ver com o lugar. — Ganhou algum concurso para conhecer o camarim, meu bem?

— Ah, não, essa é a Penny. Ela é minha...

— É uma amiga — Dean interfere e se coloca em um lugar da sala que obriga todos a virarem de costas para mim. Ainda consigo ver o rosto de Noah, mas ele evita olhar para mim.

A apreensão é inevitável. O que está acontecendo?

— Então, Noah... A Alicia e o Patrick querem saber se a gente pode sair para jantar hoje, só para discutir alguns detalhes do contrato com a Sony. Tudo bem? — A voz de Dean é macia como seda.

Agora as coisas começam a fazer mais sentido. Essas pessoas são os chefões da gravadora.

Noah finalmente olha para mim, os olhos cheios de culpa, depois para Dean, Alicia e Patrick.

Por favor, diz que não, por favor, diz que não, suplico em silêncio, embora já possa perceber que é causa perdida.

— Ah, claro, tudo bem! — Noah responde e até consegue sorrir. — Vai ser ótimo. Foi muita gentileza virem até aqui pra me ver. Sei que vocês devem ser muito ocupados.

Meu coração fica apertado. Agora sou eu que não consigo olhar para Noah, e finjo um interesse enorme em uma linha solta na almofada do sofá. Por que ele não me apresentou como namorada? Acho que nunca me senti mais invisível e desconfortável em toda a minha vida. Não levanto a cabeça nem quando todos saem juntos, não até ouvir o estalo da porta se fechando.

Sinto arrepios, apesar de fazer calor dentro do camarim. E sinto o sofá afundar ao meu lado. Para minha surpresa, Noah ficou.

Ele segura minha mão.

— Desculpa, Pen...

Não espero que ele termine a frase.

— Tudo bem, sério. Faz o que você tem que fazer. Foi ótimo eles terem vindo te ver. — Sorrio, tentando não parecer tão forçada quanto me sinto.

Os olhos dele estudam meu rosto à procura de sinais, mas não deixo a decepção transparecer. Não até que ele saia; então sinto as lágrimas brotando no canto dos olhos. Luto contra elas enquanto pego a câmera e o laptop para voltar ao hotel.

139

28

Só preciso de uma pessoa agora. De volta ao meu quarto, chamo Elliot pelo Skype. Ele responde, e sinto uma onda de alívio.

— Penny, você teve sorte. Eu estava quase começando meu ritual noturno de beleza. Ia dar um jeito nas garras. — Ele mostra as mãos na imagem meio pixelizada.

— Elliot, é urgente!

— Foi passear, afinal?

— Não... mas obrigada pela lembrança. — Suspiro profundamente e apoio a cabeça nas mãos.

— Ei, Lady P, o que houve?

Mordo o lábio. *Por onde começar?*

— Já contei que não tem sobrado muito tempo pra mim e o Noah, lembra? Ou ele está dormindo, ou está se apresentando, ou reunido com a banda. Bom, tínhamos combinado de sair pra jantar hoje à noite, mas duas pessoas da gravadora chegaram de Los Angeles, e agora ele foi jantar com elas.

— Ah, mas isso é bom...

— Não é isso. Eu entenderia se ele tivesse uma reunião com pessoas da gravadora. Mas... foi tão estranho. Eu estava no camarim com eles, e ele nem me apresentou como namorada. Acho que entrei para o time das NSs.

— NSs?

— Namoradas secretas — explico. — Foi como se ele estivesse constrangido, ou com vergonha de mim.

Elliot franze a testa.

— O Noah não é assim. Isso não é legal. Eu teria ido junto ao jantar e sentado com eles, só pra deixar tudo bem claro.

Dou risada, apesar de tudo. Elliot teria feito exatamente isso. Ele não tem a menor vergonha.

Mas até rir com Elliot me deixa triste. Porque lembro que ele está longe, e tudo que eu queria era estar em Brighton, conversando no meu quarto como faço normalmente. Levanto os joelhos e os abraço contra o peito.

— Talvez ele esteja exausto. Ou talvez tenha ficado confuso com a chegada repentina do pessoal da gravadora. Quer dizer, ele não pode se negar a jantar com eles, pode? Preciso parar de ver coisa onde não existe.

Elliot suspira do outro lado.

— Tem muito *talvez* nessa história, Penny. Você não fez nada de errado. Ele te convidou para viajar com a turnê, lembra? E disse que teria um Dia do Mistério Mágico em cada cidade. E falou que você não ia incomodar, porque era a primeira turnê e a equipe era incrível. E disse que já tinham ensaiado tanto que nem teria tantos ensaios entre as apresentações. Ele queria você aí, não o contrário. Você tem o direito de estar decepcionada.

— Mas ele não sabia como ficaria ocupado com a imprensa... e não é culpa dele se as pessoas aparecem do nada para jantar. Deve ser difícil pra ele. — Balanço a cabeça. — É que eu sinto como se nem estivesse aqui. Daria na mesma...

— Não me convenceu, P. Se quer a minha opinião, isso tudo é meio estranho. Só não esquece que nenhum outro homem vai te amar como eu. — Ele joga um beijo para mim e ri.

— Também te amo, mas você sabe que isso não é muito tranquilizador.

— Ah, fica quieta e trata de fazer as coisas que você queria fazer, já que está aí. VAI DAR UMA VOLTA, MULHER. E leve a máquina fotográfica.

Ele tem razão. Noah está ocupado, e não posso fazer nada com relação a isso. Em vez de ficar com pena de mim pelo Skype, eu deveria estar lá fora fazendo coisas, explorando essa cidade incrível.

— Vou fazer meu Dia do Mistério Mágico — aviso —, mesmo que tenha que ir sozinha.

— É isso aí — Elliot concorda, mas, por alguma razão, não parece muito animado.

Bato a mão na testa com tanta força que sinto medo de ter ficado com uma marca vermelha. Estou tão autocentrada — *de novo* — que nem perguntei como ele está.

Depois de eu me desculpar várias vezes, Elliot se anima.

— Está tudo ótimo. O estágio é incrível, mesmo tendo que ir pra Londres todos os dias! Mal posso esperar para morar lá. Eu nasci pra morar numa metrópole, com certeza!

Ele está tão feliz que quase saltita na cadeira, mas pensar nele deixando Brighton aperta meu coração. É mais um lembrete de que as coisas vão mudar em breve, por mais que eu quisesse mantê-las iguais para sempre.

— Que demais, Wiki! — Consigo disfarçar o momento de tristeza e sorrio para ele.

— E as coisas com o Alex estão ótimas. Fomos ao jogo de rugby... e eu adorei!

— Mentira! Estou muito feliz por você. Você ainda vai se tornar um amante dos esportes.

Elliot faz uma careta.

— Acho que não. Nós vimos o show do Noah em Berlim pelo YouTube. Foi tão fofo o que ele falou pra você antes de "Garota de Outono"! Queria poder fazer essas demonstrações românticas de afeto com o meu namorado.

— Elliot...

— Eu sei, eu sei. Não estou reclamando. Quero que ele saia do armário quando se sentir seguro. Só queria poder dar essa segurança pra ele. É bobagem, eu sei.

Queria poder dar um abraço em Elliot e dizer a ele para não se preocupar com Alex, porque vai dar tudo certo no final. Eles foram feitos um para o outro, são perfeitos juntos.

— E aí, qual é a próxima cidade da turnê? Vai ter que passar mais horas no ônibus do inferno? — ele pergunta, rindo.

— Roma! E não, dessa vez vamos de avião.

— *Signorina* de sorte. — Elliot e eu nos encaramos em silêncio pela tela. Os olhos dele, verdes, são realçados pela armação roxa dos óculos e começam a brilhar com as lágrimas. — Sinto sua falta.

Não consigo evitar; meus olhos também ficam cheios de lágrimas.

— Também sinto a sua.

Nós dois abraçamos a tela, contamos até três e desligamos juntos.

29

O voo de fim de tarde de Munique para Roma é surpreendentemente agradável. Blake está sentado com os outros caras no fundo do avião, e Noah e eu temos um tempo para nós. Enrolada no cardigã da minha mãe e encolhida nos braços dele, consigo controlar a ansiedade, apesar de apertar a mão de Noah na decolagem. Durante o voo, conversamos sobre o mundo da música e sobre qual é a maior banda de rock de todos os tempos. Duvido que Noah entenda minha escolha, Journey, mas não tem como não amar "Don't Stop Believin'"! Ele adora Pink Floyd e fica chocado quando falo que nunca ouvi uma música deles. Noah coloca "Wish You Were Here" para tocar em seu iPod e me faz ouvir pelo fone de ouvido. Concordo que preciso expandir meu conhecimento musical.

Quando saímos do aeroporto, sinto uma brisa gostosa no rosto. Muita gente me falou que Roma era linda, e fico muito animada por finalmente pisar em solo italiano. Hoje não tem show, e amanhã terei o dia inteiro para conhecer a cidade com Noah. A euforia cresce dentro de mim quando somos levados ao hotel. Roma é realmente espetacular, mesmo vista de dentro do ônibus da turnê.

Quando finalmente chegamos ao hotel, Noah se joga de costas na minha cama.

— Adorei o dia, sabia? Foi uma delícia poder conversar com você sobre tudo e sobre nada.

— Entendo o que você quer dizer — falo. — É como reviver nossos dias em Nova York, quando ninguém sabia sobre Noah e Penny.

Ele segura meu rosto entre as mãos e me beija quando deito a seu lado. É o tipo de beijo que me deixa toda derretida. O beijo de Noah é delicioso. Não que eu tenha muito material para comparar, mas sinto que ele é mais maduro, e a experiência é muito diferente. Não é constrangedor ou desconfortável, é só... perfeito.

Noah está exausto, por isso pedimos comida no quarto e decidimos assistir a um filme para relaxar. Não demora muito para ele pegar no sono, com a cabeça em meu colo.

Quando o filme acaba, penso em deixá-lo dormir, mas meu braço está dormente. Mudo de posição para tentar aliviar a pressão, e ele acorda.

— Que horas são? — pergunta, atordoado. — O filme já acabou? — Noah senta na cama com o cabelo achatado de um lado da cabeça. Não consigo conter o riso.

Ele joga um travesseiro em mim, depois se espreguiça e boceja.

— Vejo você amanhã, princesa Penny.

Noah pula da cama e vai até a porta. Todos esses quartos começaram a ficar muito parecidos, e a novidade de estar em um hotel já deixou de existir.

— Não quer ficar comigo? Como em Berlim? Por favor. — Sorrio para ele com doçura.

— Você conhece as regras, Penny. Aquela noite foi uma exceção. Seus pais não iam gostar... e o Dean ia me matar. Quartos separados foi uma das exigências pra você poder vir.

— Meus pais são irritantes e antiquados — bufo.

— Eles só estão cuidando da menininha deles.

— MENININHA? Eu tenho dezesseis anos! Estou viajando por vários países sem eles...

— Mas sempre vai ser a menininha deles, Penny. Você sabe disso. A gente se vê lá embaixo amanhã, às nove. Te amo. — Ele joga um beijo para mim e sai.

Eu me distraio tomando um longo banho na banheira e dando uma olhada no perfil dos meus fotógrafos favoritos no Instagram, além de checar as hashtags para Roma e procurar recomendações turísticas. Talvez eu deva abrir uma conta no Instagram para a Garota Online. Sem texto pode ser mais seguro? Não. O sinal de alerta dispara.

Nunca mais online, Penny...

Apago a luz e deito embaixo das cobertas, com a cabeça tão cheia de fotos, filtros e coisas lindas que vou ver em Roma que logo adormeço.

* * *

Na manhã seguinte, pego a câmera e a bolsa e desço para a recepção. Noah ainda não está lá. Meu estômago dá o primeiro sinal de ansiedade, e eu rezo para não ter que reviver a experiência de Berlim.

— Penny.

Ele aparece ao meu lado com uma expressão menos animada do que a que sei que estou exibindo. E franze a testa.

— Não vou poder ir. O Dean quer que eu dê uma entrevista coletiva, e não tem outro horário disponível.

Tento ficar calma, mas sinto a raiva crescer e esquentar meu rosto.

— Tudo bem — respondo entredentes.

— Desculpa. Você está brava? — Ele tenta segurar minha mão, mas eu o evito.

— Não, tudo bem — repito. Brinco com a alça da bolsa enquanto tento pensar em um jeito de sair dali antes que minhas emoções explodam num jato de lava quente.

— Ah, legal, então. É bom saber que está tudo bem — ele responde sorrindo.

Mas, como um encanamento furado, não me contenho mais.

— NÃO, NOAH. NÃO ESTÁ TUDO BEM. É CLARO QUE NÃO ESTÁ!

— Mas você acabou de dizer...

— GAROTAS SEMPRE DIZEM QUE ESTÁ TUDO BEM, MAS VOCÊ DEVIA SER CAPAZ DE PERCEBER QUE NÃO ESTÁ NADA BEM. É O QUE UM NAMORADO FAZ! E sabe o que mais os namorados fazem? Não decepcionam as namoradas cada vez que têm uma chance. — Minha voz é aguda e desafinada, mas agora não dá mais para parar. — Sim, isso tudo é importante e assustador pra você, mas também é pra mim. Eu abri mão de um período bem grande das minhas férias de verão para estar aqui com você, porque você disse que teríamos tempo pra fazer coisas juntos, Noah. Você prometeu. Estou fazendo malabarismo aqui por você, e isso cansa. Sabe como eu me sinto? Como uma parte do seu equipamento, uma coisa que tem que ser carregada de uma casa de show para outra.

Noah está boquiaberto, e todos na recepção olham para nós.

Tento baixar o tom de voz, mas a raiva ainda grita dentro de mim.

— Eu *não sou* parte do seu equipamento, Noah. Estou aqui, quero viver isso com você e quero pelo menos *um* dia com você, quando vamos poder fazer a *única* coisa que você disse que faríamos. — Fico parada ali, ofegante, esperando por uma resposta. Mas, em vez disso, ele vira e sai pela porta da frente do hotel.

É como se meus pés tivessem criado raízes. Sinto uma lágrima descer por meu rosto quando o vejo entrar no táxi e desaparecer. Olhares curiosos me queimam vindo de todos os cantos do saguão, e, sem fazer contato visual com ninguém, mantenho a cabeça erguida enquanto me dirijo até o elevador. As portas se abrem e eu entro confiante, depois viro de frente e, com a mesma atitude, vejo as portas se fecharem... E então eu me desfaço em lágrimas e soluços incontroláveis.

30 de junho

O Inevitável: Nossa Primeira Briga

Odeio brigar.

(Não, mentira.)

Verdade, odeio, odeio muito!

Faço um esforço enorme para evitar confrontos. O Escândalo do Milk Shake foi a primeira vez que enfrentei alguém em anos. E, apesar de ter sido bom naquele momento, não passei a gostar mais de confrontos por causa disso.

Quando fico brava, eu desmorono. Choro.

E brigar com o Garoto Brooklyn?

Isso é praticamente impensável!

Como posso brigar com alguém que amo tanto? Somos felizes e descomplicados desde que nos conhecemos.

Acho que isso significa que era inevitável que nosso veleiro um dia encontrasse uma pedra.

Esse dia foi hoje.

Imagine a recepção de um hotel grande e luxuoso em Roma: pilares altos de mármore e teto abobadado pintado com um lindo afresco. Imagine o eco que isso cria. Agora acrescente uma garota ruiva e furiosa de 1,65 metro e seu namorado tranquilo, um deus do rock encantador e estiloso, como sempre.

Agora imagine minha voz ricocheteando nas paredes, ecoando por toda a recepção. Não preciso imaginar — estou me *lembrando* de tudo isso. Na hora, não me importei muito com a comoção que causei, mas agora percebo que vou ter que passar por aquela recepção de novo para sair do hotel em algum momento. Megamico.

Meus pais quase não brigam. De vez em quando escuto meu irmão discutindo com a namorada, mas só por motivos bobos, como: "Não, eu falei que ia ligar DEPOIS do jogo de futebol". Sinto essas situações como pequenos desacordos, mas o que aconteceu entre mim e o Garoto Brooklyn foi muito mais sério.

Na verdade, dá para chamar de briga se uma pessoa só gritou o tempo todo? Acho que a única contribuição do GB foi piscar várias vezes. Eu agi como uma ridícula?

Só sei que é preciso brigar, às vezes, para que as coisas possam voltar a ficar bem. E, como a adulta madura e responsável que sou, vou fazer tudo ficar bem. Mostrem um casal que nunca tenha tido uma única discussão. Não, na verdade não precisa. (Wiki, estou olhando para você.)

Então, apenas para referência futura, vou fazer uma lista de coisas que aprendi a NÃO fazer durante uma discussão:

1. Não brigue na recepção de um hotel — escolha a hora e o lugar. Nem todo mundo precisa saber o motivo da sua fúria.

2. Entenda que a sua voz é, provavelmente, um pouco mais alta do que você a escuta.

3. Não tente esconder sua raiva e não diga que está tudo bem. Nem todo mundo sabe ler pensamentos.

4. Tente manter a calma e o controle. Eu disse *tente*, porque, a essa altura, você pode estar bem perto de explodir.

5. Quando seu namorado for embora sem dizer uma única palavra depois da sua explosão, não fique parada no mesmo lugar por muito tempo. Você vai se sentir uma idiota e parecer uma idiota.

149

6. Quando começar a chorar muito no elevador depois da briga, conte com a possibilidade de alguém entrar em algum andar enquanto estiver subindo. É para isso que servem os elevadores.

7. Dizer que você tem uma grave alergia a pólen pode fazer você parecer uma boba. É evidente que você estava chorando, então é melhor admitir e aceitar o lenço do italiano de meia-idade.

8. Quando fizer sua saída grandiosa, tenha certeza de que está com a chave do quarto, porque vai ser ridículo ter que voltar à recepção para pedir uma cópia.

9. Não pense demais na situação quando estiver sozinha no seu quarto de hotel.

10. Não tome sorvete dentro da banheira cheia de água quente. Não é fácil, porque ele derrete à velocidade da luz. Descobri que pretzel é uma excelente alternativa.

Bom, por enquanto é isso. É muito embaraçoso para mim escrever sobre essas coisas, e, agora que vejo tudo exposto assim, preto no branco, sei que vou ter que pedir desculpas pela explosão em público.

Porque, em qualquer relacionamento, sempre existem os desafios que o casal tem que enfrentar junto. Basta ser forte o suficiente para saber que uma briga (mesmo uma das grandes) não tem que ser o fim.

Garota Offline... nunca online xxx

30

Depois de publicar o post no meu blog, fecho o laptop e tenho a sensação de que tirei um peso enorme de cima dos ombros. Tem um motivo para eu gostar tanto de escrever e ocupar meu cantinho (privado) na internet com reflexões e conselhos: é muito terapêutico. Assim que encontrar o Noah, vou pedir desculpas pelo modo como agi no saguão do hotel, e tenho certeza de que ele também vai se desculpar. Vamos esclarecer tudo isso.

Olho pela janela ao lado da minha cama e noto todas as pessoas andando pela rua lá embaixo no sol escaldante.

Estou em Roma.

Roma!

Uma cidade que eu sonhava visitar. O lar de Michelangelo, Rafael e Sophia Loren! Posso passar o restante do dia aqui sentada, pensando em nossa briga, ou aproveitar Roma ao máximo e clarear as ideias, mesmo que seja sozinha. Escuto a voz de Elliot no fundo da minha cabeça, gritando para eu sair e explorar a cidade. Dessa vez, decido seguir o conselho.

Levanto da cama e me arrasto até o espelho. Que estado lamentável. Passo um lenço de papel sob os olhos vermelhos e de repente sinto um momento confiante de Mar Forte. *Nada que um par de óculos escuros não possa esconder*, digo a mim mesma. Prendo o cabelo num coque descuidado, pego a bolsa (dessa vez olho se a chave do quarto está lá dentro) e saio antes que me convença a ficar.

Passo por Larry a caminho da saída.

— Penny? Aonde você vai? — ele pergunta, preocupado.

— Sair, Larry. Vou sair. Se eu ficar sentada olhando para as paredes do quarto, vou ficar maluca.

— Eu vou junto. Você pode se perder, e aí? Tem um mapa?

Mapa? Nem pensei nisso. Minha Mar Forte interior hesita, mas digo a ela para se controlar. Balanço a cabeça.

— Sério, eu vou ficar bem. Acho que só preciso de um tempo, ficar sozinha pra clarear as ideias. Se me perder, eu te telefono, ou pego um táxi e volto pra cá. Sou bem grandinha, Larry. — Sorrio e viro para seguir em frente pelo corredor.

— Leve isto aqui, pelo menos. — Ele tira do bolso do paletó um velho guia de Roma. Quando levanto as sobrancelhas, ele dá de ombros e reconhece, de má vontade: — Gosto de fazer minhas pesquisas. Divirta-se, ouviu? Minha sugestão é que você coma toda pizza e tome todo gelato que puder. Não tem nenhum problema que carboidrato e açúcar não possam resolver.

* * *

Parada embaixo do enorme domo do Panteão, agradeço mentalmente a Larry pelo guia. Sem ele, eu não teria encontrado nada do que queria ver. Roma é linda, é de tirar o fôlego. Parece que tem alguma coisa mágica em cada esquina. Quando saí do hotel, era como se minha câmera estivesse colada no rosto. Fui andando pelas ruas calçadas com paralelepípedos, pensando se seguia na direção certa, mas, quando passei na mesma fonte pela terceira vez, decidi deixar o orgulho de lado e consultar o guia do Larry. Finalmente consegui chegar ao Panteão. O lugar está cheio de turistas, mas todos somos tomados pelo mesmo sentimento de fascínio quando entramos na construção enorme, que é um oásis de quietude em meio à agitação das ruas lá fora.

Do Panteão, sigo pelas ruas turísticas até o Coliseu e me sento em um banco no parque do lado de fora para comer uma grande fatia de pizza que comprei no caminho. É surreal, como estar presa entre as páginas de um livro de história, ou em um programa de televisão. Tento imaginar como teria sido entrar no Coliseu como espectadora, ver os gladiadores lutando na arena, ou assistir à dramática encenação de uma batalha no mar. Teria sido um pouco diferente dos shows a que tenho assistido, mas, por outro lado, alguns fãs do Noah ficam tão exaltados que parecem querer tirar sangue dele.

A ilusão se desfaz bruscamente quando sou cercada por um grupo de italianas bem-vestidas. Elas falam um italiano frenético e gesticulam muito, e tento identificar o objeto da atenção das mulheres. Então eu a vejo: uma bela noiva tirando fotos com o Coliseu ao fundo. Isso, sim, é uma foto épica para um álbum de casamento.

O noivo entra no quadro, e os dois parecem muito felizes juntos, um nos braços do outro, posando para o fotógrafo. Eu também tiro uma foto, só para mostrar à minha mãe. Casamentos sempre me fazem pensar nela, e minha mãe adoraria ver esses noivos em um cenário tão grandioso e dramático. Em seguida, o gramado é tomado por uma fileira de madrinhas, todas de vestido longo de cetim cor-de-rosa. São muito mais exuberantes que os vestidos das madrinhas tradicionais que vejo na Inglaterra. Sim, minha mãe adoraria tudo isso.

Um sorriso ilumina meu rosto quando me lembro do álbum de casamento dos meus pais. Minha mãe havia acabado de desistir da carreira de atriz para planejar casamentos, o que significa que o deles foi o mais extravagante de todos! Meus pais escolheram o tema Casamento Real, que, no fim da década de 80, tinha a ver com o estilo exuberante da princesa Diana, não com a chique e discreta Kate Middleton. A princesa Diana jamais deixaria a irmã roubar a cena no dia de seu casamento! Sempre que vejo fotos do vestido da minha mãe, acabo dando risada. Metros e metros de cetim creme bordado com minúsculas pérolas-arroz e as mangas mais bufantes que eu já vi, cada uma quase do tamanho da cabeça dela. Resumindo, ela entrou na igreja parecendo um gigantesco marshmallow.

Minha mãe sempre conta que os convidados estavam vestidos com a mesma extravagância. Todas as mulheres usavam tailleurs com ombreiras e chapéu, e as dez (sim, dez!) madrinhas exibiam mangas bufantes e luvas brancas, e retocaram a permanente para a ocasião. Fico decepcionada de pensar que perdi esse evento, apesar de não ser nem um brilho nos olhos da minha mãe naquela época.

Bom, pelo menos gravei na memória cada uma das três renovações de votos que eles fizeram, e ainda tem o aniversário de trinta anos de casamento, que está chegando. Qualquer desculpa serve para uma festa enorme na família Porter.

Quando o cortejo matrimonial romano vai embora, outro entra em seu lugar. Pelo visto, este é um cenário tradicional de fotos de casamento! Vejo vários casais posando na frente do Coliseu, e é impossível não pensar em como vai ser o meu casamento. Minha mãe vai fazer questão de organizar a cerimônia mais incrível de todas, tenho certeza.

Minhas flores favoritas, as orquídeas, estarão por toda parte.

Elliot vai ser meu padrinho.

Meus pais vão entrar comigo na igreja, um de cada lado.

Mas será o Noah que estará me esperando no altar?

Há uma semana eu teria dito que sim, mas agora não tenho tanta certeza.

Uma onda de tristeza me invade quando revejo mentalmente nossa discussão. Sinto um misto de culpa e raiva, e não sei o que pensar. Lágrimas fazem meus olhos arderem, e meu rosto fica quente. Estou tão confusa.

Era exatamente isso que eu queria evitar quando saí do hotel. Levanto, determinada, e assusto um bando de pombos que ciscava perto dos meus pés. Uma das aves se aproxima de uma noiva e dispara uma tempestade de cocô na direção de seu vestido branco.

— Cuidado! — grito, sem saber se a noiva italiana vai me entender. O noivo entende e se joga no caminho do cocô. Eu me afasto o mais rápido possível.

A fila para entrar no Coliseu dá a volta no quarteirão, e desisto de ver de perto a arena dos gladiadores. Tenho um pouco de pena deles, no entanto. No ano passado, senti que havia sido jogada em uma versão moderna do Coliseu, com todo mundo na internet opinando sobre o meu destino. Eu era boa o bastante para o Noah?

Neste momento, a resposta da votação seria não. Eu seria jogada aos leões, com certeza.

Pensar nisso me faz sentir um arrepio. Decido visitar outro famoso marco romano antes de voltar ao hotel: a Fontana di Trevi. Não passei por ela a caminho do Panteão. Dou uma olhada no guia, tentando traçar uma rota, e aproveito para tirar uma selfie na frente do Coliseu para mandar para Elliot, só para provar que estou passeando, conhecendo a cidade.

Quando finalmente chego à fonte, meu queixo cai. Não pela beleza impressionante, mas porque o lugar está lotado. As pessoas se espremem como sardinhas em lata em torno da fonte, todas tentando fazer a foto perfeita. Decido que o melhor a fazer é ficar meio longe, mas também quero tirar uma foto e ir embora. Consigo me aproximar um pouco mais da frente da fonte e pego a câmera para tirar a foto. De repente, o sol forte e toda aquela gente se tornam reais demais, e começo a suar. Tento superar a sensação e me afastar da fonte bem devagar, mas não consigo. Fico encurralada contra a pedra clara da mureta da fonte, e tudo que vejo ao me virar são rostos.

Meu coração bate tão forte que acho que alguém vai perceber. A garganta começa a fechar, e não consigo respirar direito. Abaixo a cabeça e corro, empurrando as pessoas e tirando fotos sem querer. Milagrosamente, encontro um banco vazio ali perto e deito de costas, olhando para o céu. Quase não tem nuvens, mas me concentro em contar os fiapos brancos espalhados. Concentro a atenção na respiração e inspiro profundamente, depois solto o ar devagar. Não tem importância se alguém me vir. Só preciso me acalmar.

Quando minha respiração volta ao normal, dou uma olhada nas fotos que tirei enquanto corria no meio de toda aquela gente e as apago para liberar espaço no cartão de memória, mas, no meio delas, um rosto chama minha atenção. Uma garota com um lenço vermelho. O cabelo escuro é cortado reto na altura do queixo, mas tem alguma coisa muito familiar em sua expressão. Tento usar o zoom, mas a tela da máquina é pequena e não possibilita uma visão muito boa.

Levanto a cabeça, procuro a garota no meio da multidão, e a vejo se afastando da fonte, o lenço flutuando ao vento como uma bandeira. *Não pode ser... ou pode?*

Pulo do banco e corro atrás dela. Quando me aproximo, toco seu braço.

— Leah? É você?

31

Leah se vira, e, por um momento, vejo o pânico estampado em seu rosto. Um homem atrás de mim grita:

— Ei, parada aí!

Mas o pânico desaparece assim que ela me reconhece, substituído por um sorriso caloroso.

— Penny! Graças a Deus é você. — Ela olha para o homem. — Tudo bem, Callum, é a Penny Porter, namorada do Noah Flynn.

Ela me puxa para um banco próximo e nós sentamos. O segurança fica por perto. Leah olha para ele.

— Está tudo bem, Callum. Pode ir beber alguma coisa, sei lá. Eu fico bem com a Penny.

Ele hesita por um momento, olha para mim, para Leah, para mim de novo, e finalmente concorda com um movimento de cabeça.

— Quase não te reconheci — confesso quando ele se afasta.

— Bom, é para isso que eu uso um disfarce, sua boba. Você é muito observadora! — Ela se reclina no banco para poder sentir no rosto todo o calor do sol. A peruca muda seu visual, com o cabelo loiro e comprido de estrela de Hollywood dando lugar ao chanel escuro. O batom pink exagera o desenho dos lábios, modificando a linha natural. Com os óculos escuros baratos, desses que a gente pode comprar no camelô, a pop star conhecida é quase impossível de reconhecer. Quase, mas não completamente.

— Roma não é incrível? — Leah comenta. — Já tomou um gelato? É diferente de tudo que já provei, sério. A Pinkberry de Los Angeles não chega nem aos pés. Não costumo comer doces, mas gelato é a minha perdição.

Balanço a cabeça.

— Ainda não. Não sei nem direito aonde estou indo, pra falar a verdade. Estou seguindo os outros turistas, ou tentando sem muito sucesso seguir o mapa neste guia velho.

Nós duas rimos, e é estranhamente gostoso e natural.

— Vem comigo — diz Leah. — Conheço o melhor lugar, e você não vai achar nada parecido em nenhum guia.

Imagino a cara do Tom quando eu contar a ele que Leah Brown me ajudou em Roma e me levou para tomar um gelato. Ele pode gostar de música eletrônica e dubstep, mas já o peguei suspirando em cima das fotos da Leah Brown, e várias vezes.

— Se a gente for depressa, talvez ainda consiga despistar o Callum. — Ela pisca para mim, segura minha mão e me leva pelas ruas estreitas de Roma.

É estranho passear com Leah; claro, ela não está com cara de Leah, mas ainda tem alguma coisa no jeito confiante e firme que fala a linguagem de Leah Brown. Não é algo fácil de se livrar.

Finalmente chegamos a uma grande praça, e eu grito de alegria. Tem artistas e cavaletes por todos os lados. Pintores vendem seus trabalhos e fazem retratos das pessoas que passam por ali. Há fontes dos dois lados da praça, e colunas muito altas. Roma clássica.

— Esta é a Piazza Navona — diz Leah, rindo da minha expressão de espanto. — Vem, a sorveteria fica logo ali.

Ela me leva para uma loja que parece diferente de todas as sorveterias que já vi. Em vez de grandes montanhas fofas de sorvete, o gelato aqui fica em latões de metal que são raspados até o fundo, sinal claro de sua popularidade.

— Esse aqui é de suspirar. Pistache — diz Leah, apontando uma das latas redondas. — Um dos meus favoritos. — Ela pede uma bola no copo.

158

Quando o atendente entrega o pedido, ela põe uma porção na boca com a colherzinha de plástico e dá um gemido de satisfação. — Hummmm. O truque é procurar o gelato de pistache que não seja verde demais. Significa que é feito com ingredientes naturais, sem química. O que você vai querer?

— Hã, *gelato alla fragola* — peço num italiano ruim, falando com Leah e com o atendente ao mesmo tempo. Quando pego meu sorvete de morango, voltamos à praça e sentamos na mureta de uma das fontes, de onde ficamos vendo as pessoas passarem e os artistas trabalharem. É surpreendente que ninguém reconheça Leah. É neste momento que percebo algo diferente nela: Leah está muito relaxada.

— Posso tirar uma foto sua? — pergunto.

Ela olha para mim e levanta as sobrancelhas.

— Não vou mostrar pra ninguém — acrescento, apressada. — É que você está tão bonita e relaxada, e o sol batendo nessas construções antigas... A luz é perfeita.

Fico aliviada quando ela sorri.

— Pode.

Ponho o copo de sorvete em cima da mureta, tomando o cuidado de afastá-lo do alcance da lente, e recuo alguns passos para poder enquadrar Leah na fotografia. Tem gente dos dois lados dela, pessoas cuidando da própria vida, mas a luz que a envolve é tão perfeita que dá a impressão de que ela está cercada por um brilho dourado e quente. Como se fosse sua aura.

Entendo por que meu irmão e tantas outras pessoas se encantam por ela; Leah é linda. Atrás dela tem uma estátua bem no centro de uma fonte, com esculturas saindo da água. Lembro do meu projeto de fotografia e penso que isso é uma perspectiva alternativa, com certeza. Lá está Leah, que normalmente teria mais em comum com a estátua — uma coisa enfeitada, isolada, algo para ser visto e apreciado, mas não para fazer parte da vida real —, sentada no meio de tudo como uma pessoa normal.

Olho a fotografia e fico satisfeita com o resultado. Tiro mais algumas, e o brilho de Leah e sua habilidade natural para posar aparecem com força total. Mostro a ela algumas miniaturas na tela da câmera, mas já sei que vão ficar muito melhores quando forem ampliadas. Ela aprova as fotos.

— Você nunca vendeu suas fotografias? — Leah aponta para as bancas dos artistas enquanto guardo a máquina fotográfica.

— Ah, não. Não sei se são boas o bastante.

— Que bobagem, você tem muito talento. É isso que quer fazer quando se formar na escola? Ser fotógrafa?

Dou de ombros.

— Ainda não sei. Acho que vai depender das minhas notas no último ano e de como for a faculdade. Não sei se a fotografia pode ser uma carreira. Eu sempre achei que, a essa altura, já saberia o que fazer da vida.

— Por que você falou das notas do último ano? Vocês têm uma avaliação geral na Inglaterra?

— Sim, é tipo um exame preparatório para a faculdade, e é bem importante.

— Bom, um exame é sempre importante, mas talento é pra sempre! É claro que a fotografia pode ser uma carreira. Deve ter algum fotógrafo famoso que você admira. Qualquer coisa é possível, se acreditar realmente em você. Parece piegas, mas é verdade. Podia ser a letra de uma das minhas músicas, porque tenho um bom motivo pra acreditar nisso. — Ela ri. — Você tem que mirar além do que acha que é capaz.

Leah volta ao sorvete, e ficamos quietas enquanto penso no que ela acabou de dizer. É verdade: eu nunca vou chegar a lugar nenhum se não tentar, pelo menos. E vou ter que me esforçar de verdade, se quiser ter sucesso em alguma coisa.

— Leah? Pergunta rápida. — Termino o sorvete e limpo as mãos no guardanapo. — Como você lida com a fama? — Dou risada para disfarçar o nervosismo de fazer uma pergunta tão direta.

Ela ri comigo, mas percebo uma emoção profunda por trás da risada.

— Leva um tempo para a gente se acostumar. E é por isso que... Olha, não me leve a mal, mas estou preocupada com você e o Noah. O mundo da música devora quem não está preparado, principalmente quem não está em cima do palco. — Ela olha para mim com uma ruga na testa, e vejo em seus olhos um brilho triste. — É por isso que você está aqui sozinha?

— É, tivemos uma briga feia...

— No saguão do hotel? É, eu soube.

— Soube? — Quero sumir no fundo da fonte.

— Bom, eu não vi a briga, mas ouvi falar. As notícias voam, sabia? Não quero te deixar constrangida, Penny. É que, sinceramente, esse furacão pode te arrastar. Você é uma garota incrível, com um talento único, puro, e é muito fácil se perder no meio disso tudo. Antes que perceba, você vai estar seguindo o sonho de outra pessoa e abandonando o seu.

Penso no que foi a turnê até agora, e em como, depois de cada cidade, eu me senti cada vez menos inspirada, menos eu e mais uma parte da mobília. Como me contentei em ser chamada de "namorada do Noah". Agora não sei mais se isso é suficiente. Mas como eu quero ser chamada?

— Entendo o que você está dizendo — respondo, tentando imprimir na voz toda confiança possível. — Mas acho que o Noah é diferente. Ou melhor, ele *vai ser* diferente. Por enquanto, tudo ainda é muito novo e empolgante, mas acredito que ele ainda é o cara que eu conheci no Natal.

— Você tem razão, o Noah é muito legal, Penny. Sério, eu acredito mesmo nisso. Mas não mude a sua vida por homem nenhum. Não vale a pena. Um ex-namorado me disse que eu nunca seria cantora, e eu acreditei nele. O cara trabalhava em Manhattan, era um corretor da bolsa de valores de muito sucesso, e eu morava com ele e deixava o jantar pronto todas as noites. Um dia percebi que estava vivendo o sonho dele, não o meu. Estava infeliz, não no relacionamento, mas com o caminho que eu estava seguindo. Decidi voltar pra Los Angeles e trabalhar duro na minha música. Meu namorado terminou comigo, e eu me tornei uma artista de sucesso com dois discos de platina. Às vezes você tem que cuidar de si mesma. Vale a pena, se você quiser muito alguma coisa.

Estou encantada com a mulher à minha frente. Não imaginava que Leah tinha enfrentado dificuldades na vida, ou que tivera de lutar muito

161

por alguma coisa. Acho que só vemos o lado radiante da fama, mas todo mundo tem seus demônios.

O sol está se pondo quando voltamos a pé para o hotel, conversando sobre como Leah ficou famosa.

Callum nos alcança, e noto que seu rosto está vermelho, como se ele tivesse corrido. Ele olha para Leah com um misto de reprovação e irritação, mas não consegue ficar bravo por muito tempo depois que ela brinca:

— Você sempre vai conseguir me encontrar, querido. É só seguir o gelato!

* * *

De volta ao quarto no hotel, decido escrever um post sobre como me sinto em relação à situação com Noah e à minha conversa com Leah. Preciso de opiniões. Meus dedos correm pelo teclado enquanto tento organizar os pensamentos que giram em minha cabeça.

30 de junho

Vida... e Outras Coisas Importantes

Então, pessoal, depois do post de hoje de manhã, acabei de ter um dia incrível em Roma, mas não quero falar sobre isso agora.

É hora de enfrentar a grande questão.

A pergunta que, tenho certeza, quase toda garota da minha idade faz a si mesma regularmente, e que eu tenho feito cada vez mais.

Eu preciso mesmo decidir *agora* o que quero fazer depois do colégio?

Vou fazer dezessete anos no ano que vem, começo o último ano em algumas semanas e... me sinto perdida.

Quando eu era pequena, queria ter um carrinho de sorvete, porque eu sabia quanta alegria poderia levar às pessoas. Agora que sou mais velha, ainda quero espalhar essa alegria, mas não na forma de sorvete (vamos encarar os fatos: sorvete realmente leva alegria às pessoas, principalmente um gelato italiano... mas depois eu falo mais sobre isso).

Alguém já disse que, se você ama o que faz, nunca vai ter um dia de trabalho na vida. As pessoas podem demorar para encontrar essa ocupação, mas, no fim, elas têm que amar o que fazem.

Acho que por isso tenho me sentido tão pressionada por tudo.

Eu sei o que amo — minha máquina fotográfica —, e parece que minhas fotos levam muita alegria às pessoas. Mas como transformo isso em algo real?

163

No momento, é como se uma corrente me arrastasse. Todos os meus amigos estão fazendo alguma coisa para levar adiante o que chamam de suas "paixões", e — embora eu esteja exatamente onde queria estar, ao lado do Garoto Brooklyn — sinto que estou sendo levada para longe das minhas paixões e da minha identidade. Depois de conversar com alguém muito influente hoje à tarde, abri os olhos para a importância de seguir o meu caminho na vida. Sim, as pessoas podem percorrer esse caminho com você, mas é preciso lembrar que ele é seu e pode seguir na direção que você escolher.

Garota Offline... nunca online xxx

32

Depois de escrever o post, deito na cama. Não tive notícias de Noah desde que brigamos, por isso não tive a oportunidade de me desculpar, e sinto que, se continuar pegando o celular para olhar as notificações com a mesma frequência, vou acabar com bolhas nas mãos. Quando tento imaginar o que Elliot está fazendo agora, o telefone vibra perto da minha cabeça. Pulo e pego o aparelho como se fosse o bilhete dourado do Willy Wonka — um bilhete que vai me conceder o perdão de Noah pela constrangedora explosão no saguão do hotel, para que possamos voltar a ser loucamente apaixonados.

Mas não é Noah. A mensagem é da Leah.

> Oi, Penny. Quero agradecer por hoje à tarde. Foi ótimo poder relaxar, e foi muito divertido sair com você. Por favor, não fale com ninguém sobre o disfarce. Não quero que muita gente saiba por enquanto. Eu mesma conto quando achar que é a hora. Não quero que você se sinta incomodada com nada do que conversamos. Uma irmã cuida da outra.
> BEIJOS, L

Sorrio para o aparelho e me sinto um pouco reconfortada pela mensagem de Leah, menos sozinha nesse furacão louco. É bom saber que posso confiar nela.

Transferi as fotos para o computador, e tem uma da Leah que é mágica. Ela parece quase uma escultura romana. Perfeita. Nem o disfarce consegue esconder seu magnetismo e sua beleza. Mando a foto de que mais gostei em uma mensagem para ela.

Obrigada por hoje x

Alguém bate à porta. Jogo o telefone na cama e respondo:

— Não pedi nada, quarto errado!

— Eu não trouxe comida, desculpa.

Conheço muito bem essa voz. O sotaque americano rouco com uma nota charmosa só pode ser de uma pessoa.

— Noah?

Abro a porta e, surpresa, o vejo do outro lado, com um braço apoiado no batente. Seu rosto é triste e chateado, e ele parece mais cansado do que nunca. Mas, quando me vê, sorri, e seus olhos se iluminam. Ele está de bermuda, um suéter largo de crochê e o velho tênis Converse. Um gorro mantém o cabelo longe do rosto, e ele usa um colar que quase alcança a barriga. Noah está absolutamente lindo desse jeito desleixado.

— Posso entrar? — ele pergunta, prendendo uma mecha rebelde no gorro.

Dou de ombros e abro a porta completamente.

— Pode.

Ele entra no quarto e senta na cama, sem se importar com o tênis sujo na colcha quando cruza as pernas.

— Penny, eu...

— Noah, por favor, me deixa falar uma coisa primeiro. Desculpa. É sério. Eu não devia ter dito aquelas coisas. Fui imatura, sei que você tem coisas mais importantes pra fazer do que me entreter como se eu fosse sua irmãzinha. Só me senti meio abandonada, e sei que existem outras maneiras de discutir essa questão com você, mas eu explodi, perdi a cabeça, e peço desculpas por ter me descontrolado em público. e por ter sido tão constrangedor e...

— Para. — Noah põe um dedo sobre meus lábios e sorri. — Penny...
— Agora ele segura minhas mãos e olha para mim da cama, onde continua sentado. — Eu te amo. Amo quando você está feliz; amo quando derruba vitamina em mim; amo quando você está triste e quando bebe milk shake fazendo barulho. Eu te amo quando você come mais pizza do que sempre achei que um ser humano seria capaz de comer, amo quando dorme às oito da noite, amo quando está ansiosa, amo quando fica entusiasmada com as coisas como uma criança, e amo você quando está brava.

Sinto uma lágrima se formando no canto do olho direito e tento segurar, mas tenho quase certeza de que ela já ameaça cair.

Ele continua:

— Eu não quero brigar com você. Quero que a gente fique bem.

— Eu também. Desculpa por tudo que eu...

— Para de pedir desculpa! Está tudo bem — ele me interrompe. — Vamos deixar isso pra lá e seguir em frente. Eu queria poder ficar e ver um filme com você, mas o Dean e eu temos que jantar com um cara de um jornal importante. Só passei aqui antes de sair pra ter certeza de que está tudo bem.

Respondo que sim com um movimento de cabeça e deixo Noah me abraçar. É um abraço curto, milésimos de segundo. Antes que eu perceba, ele já se afastou.

— Eu trouxe uma coisa pra você. — Ele volta ao corredor e pega uma cesta grande de vime. — Sei que não é a mesma coisa que ficar aqui com você, mas espero que facilite um pouco as coisas... e sei que não tem sido fácil.

Pego a cesta e a deixo sobre a cama.

— Encare como um presente substituto do Noah — ele diz com um sorriso meio triste. — Tenho que ir, ainda preciso me arrumar para o jantar. — E me beija nos lábios a caminho da porta.

Esse é um ângulo dele que não me agrada: de costas, se afastando de mim.

Olho para a cesta, que está coberta por uma coisa que eu reconheço: o moletom preferido do Noah. Eu o visto imediatamente, levantando a ponta da gola para sentir o perfume dele.

Arregaço as mangas, que são compridas demais, e olho o que tem na cesta. Um DVD no fundo com a palavra "ASSISTA" escrita na caixa e diversos doces de aparência deliciosa, recheados com creme branco. Ponho o DVD no aparelho e volto para a cama.

A imagem de Noah surge imediatamente na tela. Ele está usando a mesma roupa que vestia há pouco, o que significa que deve ter gravado o vídeo hoje.

— Querida Penny — diz o Noah na tela —, sei que eu te deixei brava. Sei que te deixei triste. Dois sentimentos que eu queria que você nunca associasse comigo. Não sei mais como pedir desculpas, mas espero que você saiba que elas são sinceras. Espero que você esteja vestida com o meu moletom e comendo os doces da caixa. Perguntei na recepção e acho que o nome disso é *maritozzi*. É a comida mais romântica da Itália. Sei que você deve estar pensando que o vídeo não me substitui, e tem razão. Eu preferia não estar falando para uma câmera. Queria estar aí com você, ou em um passeio romântico por Roma... mas estou descobrindo rapidamente que eu não sabia nada sobre o que é a vida em uma turnê. Sei muito pouco sobre a carreira em que, de certa forma, acabei caindo. No momento, sou basicamente um idiota ignorante, e continuo fazendo promessas que não posso cumprir. Mas tem algumas coisas que eu sei, Penny. Sei que amo fazer música, e sei que amo você. Os dois juntos bastam para eu enfrentar qualquer coisa. Assim, caso você esteja começando a duvidar do que eu sinto, fiz essa montagem pra você, Penny, meu Incidente Incitante. Quero que você seja a protagonista de todas as cenas da minha vida. Espero que isto prove o que estou dizendo.

O que vejo a seguir me faz chorar. É uma montagem de alguns dos nossos melhores momentos juntos: a grande lua cor de laranja que Noah me mostrou em Nova York; a manhã de Natal, quando abrimos os presentes com Bella no chão da sala de Sadie Lee; meu aniversário de dezesseis anos na Páscoa, quando Noah foi com minha família para a Cornualha; trechos das nossas conversas no Skype, que ele gravou; e cenas que eu não sabia que estavam sendo filmadas, como a minha imagem vendo Noah no palco pela primeira vez.

A montagem começa ao som de "Garota de Outono", mas logo a trilha sonora muda para uma canção que nunca escutei. É intensa e linda, só a voz de Noah e o violão, como eu mais gosto de ouvir. As palavras plantam em meu coração sementes que, tenho certeza, vão continuar crescendo enquanto ele bater.

Menina pra sempre
Você mudou o meu mundo
É você
Eu tenho certeza
Que vamos ficar juntos
Pra sempre, garota.

33

Uma luz chama minha atenção e eu olho para o celular, que deixei em cima do criado-mudo no modo silencioso. Estico o braço para pegá-lo, ainda pensando na conversa que tive há pouco com Noah. Ligo a tela e descubro que Elliot mandou nove mensagens. A aflição é imediata. Elliot nunca faz isso. Deve ter acontecido alguma coisa. Leio a sequência o mais rápido possível.

PENNY

PENNY, ME LIGA, POR FAVOR

CADÊ VC?

PRECISO DE VC

PENNY, ME LIGA!

PENNY, NA ESCALA DE 1 A URGENTE, ESTAMOS CHEGANDO A 100

ESTOU NO SKYPE

ESTOU ESPERANDO

Penny, por favor, espero que vc não demore...

Respondo depressa:

> ESTOU AQUI! Desculpa. Vc ainda está no
> Skype?

Não espero pela resposta, abro o laptop e chamo Elliot pelo Skype. A conexão é lenta, demora uma eternidade, e minha aflição cresce. Sinto pânico, substituído por alívio quando vejo o rosto de Elliot surgir na tela.

— Penny, FINALMENTE!

Não consigo decifrar a expressão dele, o olhar por cima da armação verde dos óculos quadrados. É uma expressão que não vejo com muita frequência no rosto do meu amigo.

— Elliot, se você me deixou apavorada com todas essas mensagens pra me criticar porque não estou passeando, não tem graça. Fiquei preocupada. — Tento identificar algum sinal de humor no rosto dele, espero a risada relaxada, mas não vejo nada disso.

— Penny, como era o nome do stalker com quem você estava preocupada?

Tenho a impressão de que meu coração parou de bater.

— Você está falando de VerdadeVerdadeira? — pergunto, torcendo para ouvir um "não".

O rosto de Elliot fica ainda mais tenso.

— O que foi? Por que você perguntou?

— Não acho que seja uma fã — ele responde, com um tom angustiado. — A não ser que seja uma *muito* empenhada.

Aperto as têmporas, temendo o pior.

— O que aconteceu?

Ele suspira.

— Quando estava no trem voltando da revista, eu recebi um e-mail de um remetente desconhecido. Encaminhei pra você. — Ele apoia a cabeça nas mãos.

Abro uma janela do navegador para acessar minha caixa de mensagens e ler o e-mail que Elliot encaminhou. Não quero nem abrir, mas preciso saber o que está assustando meu amigo desse jeito.

De: VerdadeVerdadeira
Para: Elliot Wentworth
Assunto: LEIA

Ou a Penny termina com o Noah, ou isso vai viralizar.

ANEXO: imagem_1052.jpg

Clico no anexo, e meu coração fica ainda mais apertado. É a foto de Alex e Elliot se beijando no camarote do show de Noah. A foto é linda, e quase sinto vontade de sorrir ao ver como eles são fofos. Estão apaixonados, é evidente, e a luz do palco cria um efeito especial em meio a todas as pessoas que estão olhando para Noah com admiração. É como se, naquele momento, só existissem os dois em seu mundo particular.

Mas, como Alex ainda não saiu do armário para a família e os amigos, uma foto como essa... pode virar o mundo dele de cabeça para baixo.

— Você tirou essa foto, não foi? No show em Brighton? — Ele cruza as mãos e as apoia sobre os joelhos.

— Tirei, mas...

— Mas não pensou em me avisar que a foto estava no seu celular que foi roubado, e agora alguém está ameaçando publicar! O Alex vai ficar furioso quando souber que podemos ser chantageados desse jeito. E é claro que você não pensou que tinha alguma coisa incriminadora no seu celular, porque nem pensou em mim e no meu relacionamento.

Nunca vi Elliot assim antes. Ele está furioso, triste e frustrado, tudo ao mesmo tempo.

Mas eu também estou brava.

— Tudo bem, desculpa. Eu não estava raciocinando direito quando isso aconteceu. É horrível que você tenha sido envolvido nisso, Elliot. Eu não sabia quais eram as intenções dessa pessoa, mas agora tudo ficou bem claro. "Ou a Penny termina com o Noah..." Alguém quer separar a gente de qualquer jeito.

— Penny, eu não sei o que fazer! Tenho que contar pro Alex. Se isso vazar... — Elliot suspira. Ele parece derrotado, como se a situação sugasse toda sua energia. — Você sabe como ele é sobre o nosso namoro, Penny. Ele não se sente seguro pra contar a verdade para a família e os amigos. Mesmo quando estamos longe de Brighton, quando não tem ninguém por perto, é raro ele segurar minha mão. Aquele show foi um dos melhores momentos do nosso relacionamento. E a sua casa é o nosso porto seguro. Se ele sentir que não estamos seguros nem com você... vai ficar muito perturbado.

Imagino o horror de Alex quando souber que a foto existe e, pior, que está em mãos erradas. É o tipo de imagem que não representaria grande coisa para muita gente, mas, para Alex, vai provocar um passo enorme. Um passo que ele não está preparado para dar.

Mas eu também sei que Elliot adoraria ter essa foto como imagem de perfil. Nunca o vi tão feliz em um namoro. A única coisa que o entristece é não poder demonstrar seus sentimentos como gostaria. Elliot gostaria de poder andar de mãos dadas e namorar em cima de uma toalha de piquenique no parque no verão, mas Alex ainda não chegou a esse estágio.

— Não sei o que dizer, Elliot. Lamento ter tirado a foto, e lamento ainda mais que a tenham roubado do meu celular. Devem ter tido tempo pra baixar todas as fotos antes de eu mudar minhas senhas e bloquear tudo. Como eles sabem que o Alex é tão discreto?

Rapidamente, começo a me dar conta de que VerdadeVerdadeira não é nenhuma fã obcecada. Mas quais são as chances de o meu celular ter ido parar nas mãos de alguém que me conhece e que tem esse tipo de objetivo? Foi um acidente.

Tento pensar em indicações de quem pode ter sido. Megan? Não foi oportuno demais que ela tenha me encontrado no meio da multidão depois que meu celular desapareceu? Ela teria se surpreendido ao ver uma foto de Elliot e Alex no meu telefone, já que ninguém sabe que eles estão juntos. Megan ainda está zangada com nossa briga e com inveja do meu relacionamento com Noah? Não pode ser, principalmente se eu considerar a conversa que tivemos depois do show. É tudo muito esquisito.

— Achei que você tinha entendido, Penny. Tirar esse tipo de foto teria sido suficiente pra incomodar o Alex — Elliot diz, agindo de um jeito estranho.

— Eu sei. Já pedi desculpas, E. Você sabe como eu sou, tiro fotos de tudo. Nunca imaginei que alguém ia ver. E eu nunca teria postado essa foto em lugar nenhum sem falar com vocês antes. — Continuo tentando acalmá-lo, mas Elliot está distante, deprimido. — Quer que eu vá pra casa? Posso tentar dar um jeito nisso.

— Não, tudo bem, Pen. Eu me viro. E não deixe essa história te afastar do Noah. É só uma ameaça idiota. Vou ligar para o Alex e contar tudo... — Ele acena uma despedida pela câmera e desliga o Skype.

Por alguns instantes, fico olhando para a tela sem saber o que fazer. Mas Elliot tem razão, isso é só uma ameaça vazia e, seja lá quem for que esteja por trás disso, não vai conseguir nos separar. Além do mais, não há nada que eu possa fazer neste momento.

Abro minha caixa de e-mails novamente e mando uma mensagem para todos os familiares e amigos mais próximos, prevenindo-os sobre o stalker e avisando que estou recolhendo evidências para ir à polícia. Se for Megan ou alguém que me conhece de verdade, vai saber que não estou brincando.

Eu sou Mar Forte, e nenhum chantagista vai ameaçar meus amigos ou me impedir de viver meu sonho.

34

Estou pronta para deixar Roma quando uma onda de tristeza me invade. Consegui passear um pouco ontem, mas sinto que não vi quase nada desta cidade incrível. Olho pela janela e juro que vou voltar.

Ouço batidas aflitas na porta e, por um instante, penso que estou atrasada, mas ainda tenho tempo de sobra.

— Penny? Você está aí?

— Já vou! — Abro a porta para Noah. Ele está com a mochila pendurada no ombro, e vejo um papel com a caligrafia de Dean enfiado em um dos bolsos. Noah está tão acostumado a ser transportado de um lugar para outro que não sabe onde vai se hospedar em cada destino, ou quais são os horários dos voos. Dean cuida de todos esses detalhes para ele.

— Vi seu e-mail hoje de manhã. Aquele doente apareceu de novo?

— É, dessa vez foi com o Elliot.

— Não acredito! Boa ideia ir anotando tudo que está acontecendo. Vamos entregar o material para o Dean, e ele pode levar o caso para a polícia.

— Ótima ideia — concordo, aliviada por ter alguém com quem dividir esse fardo.

— Pronta pra ir embora, *ma cherie?*

— Pra Paris? — Faço uma careta, tentando parecer sofisticada e parisiense. — *Mais oui!* Nunca estive mais pronta.

* * *

Quando aterrissamos em Paris, estou tão eufórica que quero correr por ali como uma criança na Disney. No caminho do aeroporto até o hotel, abro a boca como um peixe no aquário diante de todas as coisas que vejo.

Minha mãe sempre amou Paris, principalmente porque, quando está lá, ela se sente dentro do filme *O fabuloso destino de Amélie Poulain*. É seu lugar favorito, e, quando tinha dezoito anos e era aspirante a atriz, ela fugiu para ir viver alguns meses a vida boêmia do Quartier Latin. Ela e meu pai visitam a cidade de vez em quando, e agora, finalmente, posso ver por que eles amam tanto esse lugar.

Estou na cidade do amor, com o cara que eu amo. Dá para ser mais perfeito?

— Paris vai ser o melhor de tudo, Penny. Hoje à noite, todos os críticos de música mais importantes vão estar presentes pra ver o show. Vamos ter que ser melhores do que nunca — Noah comenta quando saímos do carro na frente do hotel. É o maior de todos em que já estive, com funcionários para carregar nossa bagagem pela escadaria larga. É exatamente como eu imaginava que seria nosso hotel em Paris, e sei que vai ser muito romântico. Olho para Noah, vejo a animação em seu rosto e abro um sorriso largo e franco. Do tipo que você guarda para quando seus avós pedem para você posar para a foto com seus irmãos. Não sei se é um sorriso atraente, mas, a essa altura, não me importo.

— E, depois disso, FESTAAAA! — Blake grita atrás de nós, de um modo completamente destoante da cena, tão tranquila e grandiosa.

Noah vira e bate a mão na de Blake. É a noite que todo mundo espera ansiosamente: a grande festa da turnê. Todos vão se reunir em uma boate famosa de Paris, um lugar onde, normalmente, eu não poderia entrar (principalmente porque sou menor de idade), mas que, por ser uma festa privada, o que eles chamam de "after", vou poder conhecer. Nunca estive em uma festa desse tipo antes, a menos que se considere o encontro com o melhor amigo depois do completo desastre do baile do colégio, com o equivalente a um mês de pizza em um jantar.

176

Noah me deixa no quarto e vai para a casa de shows. Faltam poucas horas para a apresentação dele começar. Respiro fundo. O quarto é incrível, com uma cama larga com cabeceira dourada e colcha de veludo vermelho. Janelas altas abrem para uma pequena varanda, de onde dá para ver quase nitidamente a ponta da Torre Eiffel. É perfeito.

Tenho algumas horas antes de sair para ir ver o show, por isso aproveito a oportunidade para esvaziar minha mala em cima da cama. Hoje é diferente de todas as outras noites, porque muita gente vai me ver ao lado do Noah.

O problema é que nem imagino o que vestir em uma festa como essa. E não é só uma festa depois de um show — é uma festa onde vai ter muita gente famosa e descolada. Todos os caras do The Sketch com as namoradas (secretas ou não) e a equipe, Leah Brown e seu séquito, Noah e a banda, e todo mundo que participa da turnê. Provavelmente vai ter uma fila de repórteres na rua, sem mencionar todos os fãs.

Eu me olho no espelho de corpo inteiro, cuja moldura dourada é exatamente igual à da cabeceira da cama. É o tipo de espelho que eu poderia imaginar refletindo Maria Antonieta, mas, diferentemente dela, espero que esta não seja a noite da minha execução. De legging e com o cardigã da minha mãe, eu me sinto o oposto do chique parisiense. Para ser sincera, nenhuma das roupas que eu trouxe serve para a festa. Não dá para usar um vestidinho de algodão. Tudo que eu tenho é muito sem graça e infantil.

Sei que Noah me ama de qualquer jeito, mas hoje à noite não quero me sentir a menina de dezesseis anos que nem deveria estar em uma boate com o namorado famoso. Quero me sentir sexy e chique. A maquiagem pode ajudar, mas nunca fui tão boa nisso, não como Megan e algumas das minhas amigas.

Pego a bolsa de maquiagem e sento de pernas cruzadas na frente do espelho. Com o delineador preto, realço os olhos e tento colocar cílios postiços. Depois de brigar com aquilo por uns vinte minutos, desisto e volto ao delineador para criar um efeito mais intenso. Não sei se funciona.

Em seguida, tenho que trabalhar o tom da minha pele pálida. Começo a pensar que pareço um pouco mais gótica do que pretendia. O que diria uma maquiadora profissional como Kendra? Ela me aconselharia a dar um toque mais bronzeado? Recomendaria batom vermelho? Ou diria para evitar batom vermelho com todo esse delineador? Em momentos como este, penso que seria bom ter a Megan aqui comigo. *Nunca* pensei que isso voltaria a passar pela minha cabeça algum dia. Mas tem outra pessoa que pode me ajudar.

— Oi, Leah. É a Penny. Eu... estou aqui me maquiando e pensei... não sei se é melhor um batom vermelho-alaranjado com olho esfumado, ou se uso um vermelho mais rosado...

Ela me interrompe antes de eu terminar a frase:

— LARGA O BATOM, MEU BEM. Em que quarto você está? Estou indo aí.

35

Andar por Paris com Leah no carro com motorista está entre os destaques desta turnê até agora. Depois de remover todo o delineador preto dos meus olhos, Leah insiste em me levar para fazer compras e ajudar a me arrumar. Nossa primeira parada é em uma loja enorme da Sephora, onde ela vai pegando produtos que eu coloco na minha cesta.

— Leah, não sei o que fazer com metade dessas coisas. Acho que posso imaginar, mas... — Pego um pacote de tatuagens temporárias metálicas e decido que não, não posso nem imaginar. — Desde quando tatuagens falsas estão na moda e onde elas são aplicadas?

Ela pega o pacote da minha mão e o joga de volta na cesta.

— Penny, você não vai colocar isso sozinha. Minha equipe de maquiagem e cabelo vai cuidar de você. E essas tatuagens estão na moda já faz um tempo, Pen. Você não lê a *Glamour*? — Enquanto andamos pela loja, tento não notar que todo mundo está prestando atenção em nós, ou melhor, em Leah. Acho que tem uma multidão se formando do lado de fora, na frente da vitrine, e percebo que algumas funcionárias estão na porta para impedir a entrada de outras pessoas.

— Ah, é claro, eu adoro a *Glamour*. É a minha favorita. — Sorrio e torço para ela não perceber que estou mentindo.

— Ah, ainda bem, você quase me enganou. — Ela ri e me cutuca de leve com o cotovelo enquanto joga na cesta uma coisa chamada "óleo bronzeador seco".

Quando a cesta está quase transbordando com produtos de beleza que eu nem sabia que existiam, Leah a leva até o caixa, onde a atendente começa a registrar item por item. Quase tenho um ataque quando vejo que a soma ultrapassa mil euros.

— Leah, muito obrigada por ter me ajudado, mas eu não tenho como pagar tudo isso... — Começo a recolher os produtos para devolver às prateleiras, mas ela segura meu braço.

— Vocês, ingleses, são sempre tão educados! É uma graça. — Ela entrega um cartão de crédito preto à funcionária, que o insere na máquina. — Muito obrigada. — Depois pega os dois grandes pacotes de papel pardo fechados com fita preta e branca.

— *Bonne journée*. Adoro a sua música — a atendente responde com um sotaque francês incrível.

Queria falar desse jeito sexy. Talvez eu deva criar um sotaque para impressionar o Noah. Tento um *au revoir*, mas a moça olha para mim de um jeito estranho, como se sugerisse que eu nunca mais devo tentar me comunicar em francês.

Voltamos para o carro, e Leah diz ao motorista aonde vamos em seguida. Ele dirige por uma avenida larga, cheia de lojas de estilistas famosos. Só vi esses nomes nas revistas de moda da minha mãe. Cada loja parece tentar superar a anterior com vitrines luxuosas, manequins contorcidos em ângulos diferentes e explosões de flores coloridas. Juro que vi um vestido feito de delícias de confeitaria. Considerando as mulheres que vejo entrando e saindo das lojas, acho que esse é o único jeito de elas chegarem perto de um cupcake.

Quando paramos na frente de uma loja, percebo que Leah está pensando em gastar mais dinheiro comigo e me sinto constrangida.

— Leah, você é muito generosa. Queria poder devolver todo esse dinheiro.

Ela põe a mão sobre a minha.

— Penny, por favor, aceite. Eu gosto de poder fazer isso. Não tenho muito tempo pra fazer compras com as minhas amigas, e preciso gastar de algum jeito. Você é a resposta para essas duas coisas. Eu tenho tudo que preciso, até mais do que preciso. Portanto... cala a boca e aproveita! — Ela abre a porta do carro, segura minha mão e me puxa para a calçada.

Corremos para a loja mais próxima, e vejo um batalhão de paparazzi correndo em nossa direção. Quando entramos, vários flashes iluminam a vitrine.

— Caramba, Leah, agora eu entendi por que você anda disfarçada!

— Nem me fale — ela responde, revirando os olhos. Decidida, Leah se aproxima de uma arara e começa a escolher vestidos que vai colocando nos meus braços. Experimento algumas peças mais caras que o orçamento completo de alguns casamentos que minha mãe organizou. Saio do provador com um vestido pink e escarpins de pele de cobra que, eu acho, são altos demais. Tenho a sensação de que um vento forte pode me derrubar.

— Não sei. Eu me sinto meio boba. — Olho para baixo e torço o nariz para minhas pernas finas e meu quadril estreito.

— Penny, você tem um corpo lindo — diz Leah. — As curvas estão nos lugares certos. APROVEITA.

— Não é com o meu corpo que estou preocupada. É com os saltos, vou virar uma ameaça pra todo mundo!

— *Mademoiselle?* Talvez queira experimentar alguma coisa *un peu plus elegant?* — O parisiense baixinho que gerencia a loja está vestido como se fosse encontrar a rainha. — Algo mais... sofisticado? — Ele me oferece um vestido tomara que caia de cetim preto, com um grande laço de cetim na cintura e uma aplicação de renda nas costas e sobre o quadril.

Tenho a sensação de que o homem está me entregando um recém--nascido. Não sei como segurar o vestido, o que sentir por ele, como vou ficar nele, mas o levo para experimentar. Depois de enfrentar alguma dificuldade com o sutiã adesivo, finalmente saio do provador. Sou recebida por um silêncio perplexo e, em seguida, por uma explosão de aplausos. Até Callum, o guarda-costas de Leah, está batendo palmas.

— Penny, você está linda! É verdade, não dá pra errar com um vestidinho preto.

Calço os sapatos pretos, um pouco mais baixos que os anteriores (dez centímetros de salto, em vez de quinze), e olho para o espelho. Só para variar, dessa vez não fico horrorizada. Nunca fui glamorosa em toda a minha vida. Mesmo quando me visto para bailes de formatura ou casamentos, prefiro o vintage ao sofisticado. Mas ali, naquela loja, vestida daquele jeito, eu me sinto adulta pela primeira vez na vida. Nesse vestido, sinto que posso aparecer ao lado de Noah sem causar espanto.

— *Mon Dieu!* — Leah exclama em um francês surpreendentemente perfeito. Ela está olhando para o relógio e parece apavorada. — Olha que horas são! Tenho que voltar para a casa de shows, ou meu empresário me mata! Jacques, você pode mandar passar o vestido e entregá-lo no hotel para hoje à noite? Penny, quantas vezes você já viu o show?

— Quatro vezes, eu acho.

— Bom, se você pode perder uma apresentação, o dia para isso é hoje. Minha equipe de maquiagem e cabelo vai cuidar de você. Coloque o vestido e eu vou te buscar depois do show para irmos juntas à festa. Você vai arrasar!

Não consigo me conter e dou um abraço apertado em Leah.

— Muito, muito obrigada!

— Ah, meu bem, não tem de quê! Cuidado com o vestido. Não quero que nada aconteça com ele, ou com você, antes de hoje à noite. E isso não é um pedido, é uma ordem!

36

Leah me deu instruções bem claras sobre o que devo fazer quando chegar ao hotel: tomar banho, depilar as pernas e esperar a chegada do esquadrão da beleza. Não ter que me preocupar com a ida aos bastidores tira um peso enorme das minhas costas, e é um prazer incrível poder aproveitar a banheira gigantesca da minha suíte. Abro as torneiras douradas e deixo correr a água quente. Jogo lá dentro uma espuma de banho que achei em um dos pacotes da Sephora e vejo o óleo rosado tingir a água.

Enquanto a banheira enche, mando uma mensagem para Noah.

> Oi, não precisa se preocupar, mas decidi descansar um pouco hoje. Vou ficar no hotel antes da festa, em vez de ir te ver tocar. Tudo bem? xx

A resposta é imediata e preocupada:

> Tem certeza? Está tudo bem? Quer que eu mande o Larry buscar uma sopa pra vc, ou alguma coisa assim? Queria estar aí com vc!

Eu sei. Está tudo bem, sério. Não estou
doente, só quero relaxar um pouco. Te vejo
mais tarde xx

Acho bom! Não vou a essa festa sozinho

Te amo xx

Também te amo

Um banho era tudo de que eu precisava para clarear as ideias. Reclinada na banheira, deixo as bolhas estourarem em minha pele e algumas passarem entre meus dedos ensaboados. Por mais que isso seja agradável, estou com saudade de casa. Eu não sobreviveria a este tipo de vida para sempre — pulando de um lugar ao outro sem parar nem para cheirar as flores, ou, no meu caso, para conhecer lugares e provar a comida. Sei que bastaria falar e Noah me levaria com ele para sempre. Eu poderia ficar sempre ao lado dele, vivendo essa vida de luxo. As compras que acabei de fazer com Leah poderiam ser regra, não exceção. Aquele cartão preto poderia ser meu. Eu teria Kendra e Selene como companhias constantes, só me concentrando em estar sempre glamorosa.

Megan faria qualquer coisa para estar no meu lugar. Elliot também, se fosse para ter todas as roupas e os chapéus que encontrasse à venda. Mas essa aqui sou eu?

Fico na banheira até meus dedos enrugarem. Por algum motivo, acho que Leah não aprovaria. Visto o roupão branco mais fofo e confortável que existe, depois enrolo o cabelo em uma toalha. Quando abro a porta para voltar ao quarto, eu me assusto. Tem um lindo buquê de flores em cima da cama. Alguém do hotel deve ter entrado enquanto eu estava no banho.

Leio o cartão que acompanha as flores: "VOCÊ ESTÁ SEMPRE NO MEU CORAÇÃO, MINHA MENINA PRA SEMPRE. N".

O cartão de Noah me faz sorrir de orelha a orelha. Não acredito que duvidei de nós dois, mesmo que por um instante. É claro que somos perfeitos. Sejam quais forem os obstáculos que surgirem no futuro, Noah e eu vamos conseguir superar.

Eu sei que vamos.

Alguém bate à porta, e me pergunto se Noah tem mais surpresas para mim. Abro e dou de cara com cinco mulheres de aparência determinada, todas com rabos de cavalo idênticos, perfeitos e lisos, e armadas com maletas pretas de tamanhos variados. Uma delas segura um secador de cabelos embaixo do braço. O esquadrão da beleza da Leah.

Elas me pedem para sentar e começam a analisar as compras que fizemos na Sephora, abrem todas as embalagens e iniciam o trabalho no meu rosto. Aprendo mais do que jamais imaginei que poderia: se o primer é aplicado antes do hidratante (não, é depois) e se é bom usar corretivo antes da base (pode ser, mas a maquiadora da Leah prefere a base primeiro). Tento manter pelo menos um olho aberto o tempo todo, registrando mentalmente tudo que elas fazem, para ter uma pequena esperança de reproduzir o visual sozinha.

Em um dado momento, enquanto uma das moças usa o modelador para cachear meu cabelo, outra aplica sombra roxa em meus olhos e outra aplica a tatuagem temporária em meu pulso. Estou me sentindo uma tela, não um ser humano. Elas são artistas.

Quando terminam o trabalho, uma delas me pede sem nenhuma cerimônia para tirar o roupão. Quero me agarrar a ele, mas, quando ela segura o vestido e lembro como ficou lindo quando o experimentei na loja, acabo cedendo. Essas mulheres já viram outras garotas sem roupa, com certeza!

E, para minha surpresa, essa mulher em particular também é uma excelente costureira. Achei que o vestido tinha um caimento perfeito quando o experimentei na loja, mas ela o prende com alfinetes e faz pequenos consertos até ajustá-lo ao meu corpo como uma luva. Uso o ombro dela como apoio para calçar os sapatos. Só então ela me vira de frente para o espelho. O espanto é inevitável. A expressão da garota no espelho é vazia, ou melhor, perplexa, mas o resto dela é... bom, é magnífico.

As profissionais atrás de mim se cumprimentam e trocam elogios. Viro e abraço a que me ajudou com o vestido.

Não tenho palavras; as que passam pela minha cabeça são confusas. O que senti na loja, quando experimentei o vestido, não foi nada comparado ao que sinto agora. Passei óleo bronzeador seco nas pernas, e agora elas brilham com a luz. Meu cabelo tem volume e ondas, não sobrou nem sinal do frizz que costumo ter na raiz. A sombra roxa foi esfumada para acentuar a cor dos meus olhos, e os novos cílios postiços, perfeitamente colocados, são tão lindos que tenho vontade de piscar o tempo todo. Meus lábios têm uma tonalidade rosada, e a tatuagem temporária em meu pulso é uma pena dourada rosê.

Uma das moças pega um pequeno chapéu-coco, o coloca na minha cabeça e, de repente, sinto que o visual está completo. Acho que nunca me senti tão linda em toda a minha vida, nem quando Elliot me arrumava, e ele sabe muito sobre moda. Espirro um pouco de perfume Chanel, e todas as mulheres à minha volta sorriem.

Finalmente penso em alguma coisa para dizer:

— Obrigada, obrigada, obrigada!

Batidas à porta precedem a entrada de Leah. Ela parece um pouco despenteada, mas continua linda. Acho que a minha produção também estaria meio arruinada, se eu tivesse acabado de sair do palco. Quando me vê, Leah não esconde o espanto.

— Ai. Meu. Deus. Eu não disse que elas eram as melhores profissionais do mercado? Penny Porter, você está absolutamente maravilhosa. O Noah é o cara mais sortudo que eu conheço. Ele vai morrer quando te ver.

— Estou me sentindo uma estrela. Obrigada, Leah. — Eu a abraço e sei que a aperto com força demais, mas não me importo.

— Não tem de quê, mesmo. Agora, meninas, preciso de ajuda! Estou um desastre, e tenho que ficar incrível para a festa.

Em meio à confusão de sentimentos que me dominam neste momento, a pergunta que não quer calar é: Como vou arrumar um esquadrão da beleza só para mim, para me arrumar todas as manhãs? Então decido que, mesmo que esta Penny Porter exista só por uma noite, ela vai se divertir muito.

37

Ando nervosa e com alguma dificuldade em direção à porta da boate onde acontece a festa, segurando a mão de Leah como se minha vida dependesse disso. Ela deve estar pensando que minha gratidão é exagerada e que eu devia parar de ser tão pegajosa, mas sei que, se a soltar, se me desequilibrar por um momento, vou acabar caindo. As ruas de Paris são lindas com seus paralelepípedos, mas como é difícil andar por elas em cima de saltos finos de dez centímetros de altura! Estou decidida a não começar a noite de cara no chão.

No momento, sou o epítome da sofisticação. A Penny desajeitada ficou no quarto do hotel, foi dormir mais cedo. A Penny chique de Paris saiu e, embora não seja a garota mais linda da festa (o título ainda é da Leah), pelo menos tem boas chances de não se sentir inadequada — e o namorado dela talvez concorde com isso.

Somos conduzidas imediatamente ao interior da boate, com Callum segurando o paletó esticado para proteger Leah dos flashes dos fotógrafos. Deixei minha câmera no hotel. Na verdade, não trouxe nem bolsa. A chave do quarto está dentro de um bolsinho interno do vestido.

Fico um pouco desapontada quando passamos pela entrada escura e chegamos ao interior da boate. Começo a pensar que tanto esforço pode ter sido em vão, porque tudo ali é escuro e sombrio.

Leah é a primeira a ver Noah no camarote vip. Felizmente, lá em cima a iluminação é um pouco mais forte, provavelmente para mostrar quem está na boate. Ela me empurra com delicadeza.

— Vai, este é o seu grande momento. Tenho que ir procurar meu empresário.

Aperto a mão dela pela última vez.

— Muito obrigada por tudo que você fez hoje, Leah.

— Não precisa agradecer. Agora vai, mostre o que ele está perdendo. — Leah pisca, e eu respiro fundo.

Noah está sentado no meio do camarote, com os parceiros de banda e os amigos formando um semicírculo em volta dele. Eu me obrigo a abrir as mãos e, nervosa, caminho na direção dele. Paro quando um garçom com uma bandeja cheia de taças de champanhe hesita na minha frente. É um momento tenso, mas nenhuma gota é derrubada.

No entanto, minha exclamação de pânico deve ter sido alta o bastante para chamar atenção. Então vem o momento que eu estava esperando. É exatamente como em um filme, uma cena na qual tudo acontece em câmera lenta. Noah levanta os olhos do copo e olha para mim. Vejo seu queixo cair, depois o resto da banda reagir do mesmo jeito. Parecem peixes abrindo e fechando a boca, todos sem fala, olhando incrédulos para mim.

— Penny... caramba! Eu... Você está... — Noah levanta depressa da cadeira para me receber. Ele segura meus cotovelos e me analisa da cabeça aos pés. — Você está simplesmente maravilhosa! — finalmente termina a frase.

O beijo é tão apaixonado que é como se a gente não se visse há meses. É elétrico. O arrepio deixa todos os pelos do meu corpo em pé, e é tão intenso que parece que a temperatura à nossa volta caiu alguns graus.

— Senti sua falta — ele diz. — Fiquei preocupado quando você disse que não ia ao show.

— Talvez eu tenha... distorcido um pouco os fatos. Eu estava bem, apesar do medo do esquadrão da beleza da Leah!

— A Leah fez isso por você? Diz pra ela que eu agradeço! — Ele passa um braço sobre meus ombros e me leva para a mesa. Sento ao lado dele, e Noah me apresenta para todo mundo como "minha namorada, Penny". Até para os executivos da Sony que estavam no camarim da outra vez.

Eu me esforço, aperto a mão deles em um cumprimento formal, mas não consigo apagar do rosto o sorriso largo. Tenho a sensação de que esta vai ser a melhor noite da minha vida.

— Penny, preciso dizer que estamos muito impressionados com o seu namorado — a executiva comenta com um sorriso. Tem alguma coisa em como ela fala "namorado" que me incomoda, como se estivesse falando com uma criança. Ranjo os dentes e sorrio de volta. O jeito como Noah me segura pela cintura, como se tivesse medo de me soltar, não tem *nada* de infantil.

— Também acho que ele é muito bom — respondo, sem saber o que dizer.

— Você devia contar a novidade para a Penny — a executiva continua, olhando para Noah de um jeito intenso.

Ele se mexe na cadeira, depois, com a mão livre, entrelaça os dedos nos meus.

— Ah, é verdade. — Ele me olha nos olhos. — O The Sketch e todo o pessoal estão supersatisfeitos com os resultados da turnê... com a dinâmica, sabe? Está dando certo pra todos nós. Então eles querem que eu continue depois da Europa, na turnê mundial. Dubai, Japão, Austrália... mais três meses.

Vejo em seus olhos brilhantes como ele está animado e o abraço.

— Noah, que demais! — Estou sinceramente entusiasmada por ele. É seu sonho se tornando realidade, mais ainda.

— E tem mais — ele fala, em tom esperançoso. — Eu quero que você vá comigo.

38

Ele quer que eu vá junto? Imediatamente, todo tipo de pergunta surge na minha cabeça, como toupeiras colocando a cabeça para fora da toca. *E os meus exames? Meus pais? Minha vida?* Ignoro todas elas. Este é o grande momento do Noah.

Por sorte não preciso responder, porque uma música animada põe todo mundo para dançar, e Noah e eu somos puxados para acompanhar o grupo. Considerando como começa a pular e dançar imediatamente, ele não deve estar muito preocupado com o fato de eu não ter respondido, e decido aproveitar e me divertir também.

Quando a noite se aproxima do fim, começo a acreditar que meus pés nunca mais vão voltar ao normal. O sapato alto foi o maior desafio do visual. Felizmente, logo voltamos todos juntos para o hotel. Noah até me carrega de cavalinho do táxi até a recepção.

Enquanto ele me carrega, levanto a cabeça e vejo a ponta da Torre Eiffel. Ela está cercada por luzes que piscam e parecem dançar, e me lembram as luzinhas que Noah instalou para mim no porão da casa de Sadie Lee, em Nova York.

— Olha ali — cochicho no ouvido dele.

Noah vira a cabeça e me põe no chão quando vê a torre.

— Meus pés! Meus pés estão doloridos! — protesto.

— Espera — ele pede e segura minha mão. — Tive uma ideia. A gente ainda não teve um Dia do Mistério Mágico. E se for uma Noite do

Mistério Mágico? Vamos ver a Torre Eiffel agora. Depois podemos ir comer naquele restaurante vinte e quatro horas de que o Larry falou e ver o sol nascer sobre o Louvre.

Momentos atrás, eu me sentia tão cansada que poderia dormir por mil noites, mas agora despertei. O entusiasmo se espalha do alto da minha cabeça até a ponta dos meus pés.

— Vai ser perfeito — respondo.

— Vem, vamos sair daqui antes que alguém perceba.

— Ah, é que... — Olho para baixo. — Não vou conseguir andar com esses sapatos.

Noah dá risada.

— Tudo bem, me dá a chave do seu quarto. Espera aqui.

— Pode trazer minha bolsa também? A máquina fotográfica está lá dentro.

— Faço tudo por você.

Todos os outros já estão se dispersando. Alguns foram para o bar do hotel, outros para os elevadores. Noah me deixa sentada em um dos sofás da recepção. Eu lhe entrego a chave do quarto e os sapatos, e ele se afasta correndo, avisando que volta logo.

Tenho a sensação de que ele só demora dois minutos, e é uma alegria ver meus amados Converse na mão dele. Calço os tênis com um misto de alívio e diversão.

— Penny Porter, agora você ficou ainda mais linda — Noah declara, admirando meu novo visual e me puxando do sofá. Ele me entrega a bolsa, que penduro no ombro e cruzo sobre o peito, e devolve a chave do quarto, que coloco no bolsinho do vestido.

A dor nos pés desaparece enquanto corremos de mãos dadas pela rua, a Torre Eiffel nos atraindo como um ímã.

— Noah? Ei, Noah, espera! — O momento é quebrado quando Dean grita da entrada do hotel.

Não quero parar. Quero continuar correndo pela rua, e posso sentir a hesitação na mão de Noah. Mas ele para e olha para trás.

— Que foi? — pergunta, relutante.

Dean corre até nós.

— Eu falei que preciso que você aprove algumas fotos e detalhes do design da turnê mundial. Isso tem que ser resolvido hoje, agora, ou não vai chegar a tempo nas mãos da imprensa.

— Sério? Não pode esperar até amanhã?

Dean olha para ele sem dizer nada, e Noah abaixa a cabeça.

Puxo a mão dele num sinal silencioso.

— Você não pode cuidar disso sozinho, Dean? O Noah não precisa aprovar tudo pessoalmente — sugiro.

Dean resmunga:

— O Noah aprova tudo que os fãs vão ver. Certo, Noah?

— O Dean tem razão — ele fala, em tom derrotado. — Tenho que ver as fotos. Elas vão estar em todos os lugares, o design tem que ser perfeito. Não quero desapontar ninguém.

Quase rio alto.

— Quer dizer, eu sei que estou desapontando você, Penny. Mas...

— Eu entendo — interrompo. Mas na verdade o que penso é: *Estou tentando entender, Noah. Estou me esforçando muito.* E quase dou risada novamente quando percebo que nem no meio da noite temos um tempo só para nós. Foi isso mesmo que eu aceitei?

Voltamos para o hotel num ritmo bem mais lento. Depois da enorme descarga de adrenalina, sinto o cansaço novamente como um trem desgovernado.

— Vamos conversar aqui — Dean propõe, atravessando o saguão a caminho do bar.

— Acho que vou para o meu quarto — aviso.

— Vamos tentar de novo amanhã? — Noah pergunta, em tom suave.

Respondo que sim com a cabeça.

Ele solta minha mão e eu fico sozinha, parada na frente do elevador, vendo Noah se afastar.

39

Encosto na parede entre os dois elevadores e tento superar a decepção para não passar a noite toda acordada, remoendo o que acabou de acontecer. Não vou nem mandar uma mensagem para Elliot contando essa história. Vou fingir que a noite acabou quando chegamos ao hotel de táxi. Até aquele momento, foi tudo perfeito.

— Por que o desânimo?

A voz de Blake no meu ouvido me assusta. Ele está bêbado e mal consegue se manter em pé.

— Ah, o elevador... demora demais. — Dou um passo para trás. — Gostou da festa?

— Foi demais! — Ele cambaleia quando finge tocar bateria no ar. — *Ba-dum-tssss!* — grita.

A porta do elevador se abre e ele engancha o braço no meu.

— Vem, Penny linda, vamos nessa!

Entro no elevador estranhando a atitude simpática. A cabine é moderna e luxuosa, projetada para imitar o céu noturno. Tem planetas brilhantes nas paredes e estrelas no teto, e a música de fundo é relaxante.

— Você está incrível, sabia? — Ele tenta segurar minha mão, e percebo bem depressa que o cenário não tem nada de confortável. Eu me esquivo do contato, mas ele tenta pegar minha mão outra vez.

— Blake, você bebeu demais. Melhor ir para o seu quarto. — Minha cabeça começa a girar com o pânico, e não quero nem pensar o que se passa pela cabeça dele agora. — Qual é o andar?

— Oitavo — ele fala com voz pastosa. Se Noah souber que Blake deu em cima de mim, vai ficar furioso. Blake é seu amigo mais antigo. Não me dou bem com ele, mas respeito o fato de Noah tratá-lo como um irmão, e decido imediatamente que não vou contar nada a ele. Blake está bêbado e é um idiota, mas não vale a pena arruinar uma amizade por isso.

A lentidão do elevador me deixa agoniada, mas finalmente chegamos ao oitavo andar. Blake aponta a porta no fim do corredor e eu o sigo de longe, a uma distância segura, só para ter certeza de que ele vai entrar. Quando nos aproximamos da porta, ele vira para mim e sorri com doçura.

— Obrigado, Penny. Desculpa a minha falta de educação. Eu gosto de você. Você é legal. — O silêncio é incômodo, assim como o jeito que ele olha para mim.

— Obrigada, Blake, significa muito...

Quando estou terminando a frase, ele me puxa e aproxima o rosto do meu. Viro a cabeça para o lado quando ele tenta me beijar. A boca de Blake encontra minha bochecha. A bolsa cai do meu ombro quando eu o empurro.

— BLAKE! Sai! O que é isso?

Ele tenta de novo. Eu me abaixo quando ele se inclina para me beijar, e ele acaba batendo a cabeça na porta. Aproveito esse momento de confusão e me afasto. Eu uma fração de segundo, minha noite virou de cabeça para baixo. Tentar pegar na minha mão é uma coisa, eu até podia deixar passar sem falar nada, mas isso é imperdoável. Como ele se atreve a fazer isso comigo... com Noah?

Blake massageia a cabeça.

— Vem cá... eu sei que você está a fim. — E estende a mão, tentando me segurar.

Não quero me mover, mas Blake está entre mim e minha única saída: o elevador.

194

— Não. Não estou *mesmo*. Você está viajando.

— Ah, o Noah não tem tempo pra você, por que não pegar alguém que tenha?

Algo dentro de mim gera a força necessária para eu passar por ele e correr para o elevador. Ouço Blake gritar:

— Penny, espera! Desculpa!

Mas não tenho tempo para ficar e ouvir. Na verdade, nem espero o elevador, desço correndo pela escada. Não tenho mais minha câmera, a bolsa ficou no chão do corredor, mas não me importo.

Corro para o quarto, aliviada por ter guardado a chave no bolsinho do vestido. Entro, tranco a porta e passo a corrente de segurança, e meu coração bate acelerado. Encosto na parede e sinto as lágrimas correndo pelo rosto.

Minha noite perfeita está oficialmente arruinada.

40

Não vou deixar barato para o Blake. Ergo os ombros, limpo a maquiagem borrada embaixo dos olhos e tento adotar minha mais firme expressão de Mar Forte. Vou ao bar do hotel para encontrar Noah e contar tudo que aconteceu, mas o garçom me informa que ele subiu com o Dean.

Decido subir pela escada em vez de usar o elevador, porque acho melhor evitar espaços fechados. Quando me aproximo do quarto de Noah, noto que a porta está encostada. Vejo a parte de trás da cabeça dele, e o cabelo despenteado já me faz sentir melhor. Estou me preparando para entrar quando a voz de Dean me faz parar:

— Entendeu, Noah? Você devia ter falado comigo antes. Não é essa a imagem que queremos divulgar. E agora isso... Ela é muito nova.

Ele está falando de mim. Eu sei que está. Espero Noah me defender, mas ele não fala nada. O silêncio é ensurdecedor. Meu sangue corre gelado nas veias, transformando meus dedos em gelo. É como se meus piores medos se tornassem realidade.

Noah Flynn estaria melhor sem mim.

Pensei nisso muitas vezes, mas ouvir alguém manifestar o sentimento em voz alta é horrível. Lágrimas começam a descer pelo meu rosto novamente, e neste momento eu escuto outra voz no quarto. Meu sangue passa do gelo ao fogo. É o Blake.

— Desculpa, cara. Eu não sabia o que fazer. Ela simplesmente apareceu na porta do meu quarto.

Deixo escapar um grito sufocado, e Noah vira para a porta. Não posso fazer isso agora. A coragem de Mar Forte evaporou. Viro e começo a correr.

— PENNY! Há quanto tempo você estava aí? — Noah corre atrás de mim.

— O suficiente pra saber do que vocês estavam falando! — Tento limpar as lágrimas antes que ele possa vê-las, mas é tarde demais. Meu rosto parece queimar, e chorar só piora a situação.

— Penny, por favor, a gente precisa conversar. Espera aí!

Ele tenta segurar meu braço, mas continuo correndo em direção à escada. Não vou discutir em público outra vez. Subo os degraus até o meu quarto, e Noah me segue. Quando finalmente entro, tento desesperadamente superar a raiva que me impede de raciocinar ou falar com clareza.

Noah está parado na minha frente.

— Penny, o Dean só está fazendo o papel de empresário. Você sabe como são as coisas no mundo da música. São todos uns lunáticos que acham que sabem o que é melhor... — Ele não termina a frase, passa a mão na cabeça e começa a andar de um lado para o outro no quarto. Está nervoso, mas, pela primeira vez, não sou eu quem vai tentar acalmá-lo. Sou *eu* quem precisa de conforto neste momento.

— Você acha que eu estou brava com o Dean? — Vejo meu rosto furioso no espelho e, de repente, meu visual glamoroso parece uma farsa. Chorei tanto que os cílios postiços se soltaram, e eu os arranco e jogo na lata de lixo. Erro, é claro. Eles ficam caídos no carpete como aranhas esmagadas. Visto o moletom dos Rolling Stones e prendo o cabelo no coque que Elliot e eu chamamos de "o abacaxi".

— Ele não estava falando sério, garanto. — Noah olha para mim com ar de súplica.

Pela primeira vez em muito tempo, olho para ele e não sinto vontade de agarrá-lo, abraçá-lo e beijá-lo até morrer.

— Noah, eu entendi. Não é legal ter uma namorada nesse seu mundo, principalmente quando você está começando e virou o protetor de tela do laptop de muitas meninas, o papel de parede dos celulares. Mas não dá pra entender que isso é difícil pra mim também? Você acha que eu não percebi como os executivos da Sony me trataram? Eles foram gelados comigo! E você nem argumentou com o Dean, não me defendeu. Eu sou um problema pra você. — Fico trêmula. Minhas mãos tremem. Acho que essa é a conversa mais verdadeira que Noah e eu já tivemos. Ele me olha sem esboçar nenhuma reação, como quando gritei na recepção do hotel, mas agora não estou gritando.

E de repente percebo que deixei Noah me distrair do verdadeiro motivo da minha fúria: Blake. Tremo mais ainda. Que história ele estava contando para Noah e Dean?

— Penny, você está tremendo! Isso é um ataque de pânico?

As palavras de Noah me fazem enxergar a realidade. Sim, é um ataque de pânico.

Estou ofegante, como se não conseguisse levar ar suficiente para os pulmões. O coração parece bater visivelmente no peito, e sinto calor, um calor tão forte que pode me sufocar. As mãos suam, os pés formigam.

Noah tenta falar comigo, vejo que ele mexe a boca, mas não ouço nada. Só consigo pensar em respirar ar frio, fresco. Corro para a janela. Ela é velha, está meio emperrada, e eu empurro as venezianas com toda a força que tenho.

Faço um esforço final com o ombro quando percebo que vou vomitar. Viro e corro para o banheiro, mas é evidente que não vai dar tempo. A lata de lixo ao lado do guarda-roupa é a segunda melhor opção.

Não sinto nem registro nada até Noah me segurar pelos ombros e me levar para a cama. Agora tem uma brisa fresca entrando no quarto, e eu me sinto relaxar. Ele deve ter aberto a janela quando eu estava debruçada sobre a lata. Normalmente eu ficaria mortificada, mas agora não me importo.

Noah traz uma toalha úmida, que usa para refrescar minha testa e a nuca. Meu corpo ainda treme, tenho a sensação de que virei do avesso depois de tanto vomitar, mas a pulsação está voltando ao normal, como a respiração. Noah senta na cama e me ampara até eu me sentir mais forte outra vez.

— Precisa de alguma coisa? — ele pergunta em voz baixa.

— Um pouco de água, talvez?

Ele anui e vai encher a jarrinha com água da torneira no banheiro. Bebo alguns goles e tento recuperar a compostura, mas sei que a sensação de pânico não vai passar de verdade enquanto eu não falar tudo que tenho para lhe contar.

— Noah, o problema não é só o Dean... — Bebo mais um pouco de água enquanto, sentado ao meu lado, ele massageia minhas costas. Respiro fundo. — O Blake tentou me beijar. Ele estava muito bêbado, eu quis ter certeza que ele ia mesmo entrar no quarto, e ele me agarrou. Eu consegui fugir, mas foi horrível, Noah. — Olho para ele, tentando identificar algum sinal de choque ou raiva, mas não vejo nada.

Ele se afasta um pouco de mim, tira as mãos das minhas costas e as apoia nas pernas.

— O Blake falou que você ia contar essa história.

Quase engasgo.

— Quê? — Não consigo falar mais nada.

— Ele me contou o que aconteceu. Disse que você apareceu no quarto dele, falando que eu não queria mais ficar com você, e depois tentou beijá-lo. Ele explicou que tentou te afastar com gentileza, mas você saiu correndo.

— Quê?! Não! Não foi nada disso!

— Caramba, Penny, eu sei que as coisas têm sido difíceis, mas o Blake é meu amigo. Sério que você achou que ele não ia me contar? O que é isso, algum tipo de pedido de ajuda? O Dean já tinha me avisado que isso podia acontecer... mas eu sempre te defendi. Falei que você nunca faria nada disso. Acho que eu me enganei.

Estou perplexa. Chocada demais para falar alguma coisa. A ousadia da mentira de Blake me atinge como um trem desgovernado, e não sei como convencer Noah de que ele está errado.

— Noah... você está falando sério? Eu nunca faria isso. Foi o Blake. Ele veio pra cima de mim.

Então Noah faz uma coisa que nunca tinha feito antes: ele grita comigo.

— Penny, chega! O Blake me contou o que aconteceu, e ele sempre ficou do meu lado, sempre! Por que você não pode ser sincera e confessar que fez isso pra chamar a minha atenção? Eu sei que não tenho sido muito presente, mas achei que pelo menos podíamos ser honestos um com o outro. Eu te perdoaria se você reconhecesse o erro, mas nunca vou poder te perdoar se insistir em mentir, principalmente sobre o meu melhor amigo. Quantos anos você tem?

Olho para ele com um misto de desgosto e angústia. Tenho a sensação de que não estou olhando para Noah, o músico talentoso com o sorriso lindo, dono dos gestos mais românticos e da alma mais bonita. Estou vendo ali um garoto comum e arrogante de dezoito anos.

E isso me deixa sem fala. Por que perder tempo com isso? Eu sei o que aconteceu, mas o meu namorado, a pessoa que deveria cuidar de mim e confiar em mim, se recusa a acreditar no que eu digo.

— Sai daqui, Noah. Se é isso que você pensa de mim, não vou nem me incomodar mais com essa história. É perda de tempo. Já contei o que aconteceu. Se você não acredita em mim... não sei mais o que fazer.

Noah levanta de repente.

— O Dean me avisou que a estrada muda as pessoas. Eu só não tinha percebido que ele estava falando de você. — Ele me encara com uma expressão furiosa.

Quase tenho vontade de rir de quanto isso é ridículo, principalmente dito por ele.

— Não, Noah, isso não é verdade. Nada poderia estar mais longe da realidade. — Respiro fundo. — Não dá mais. Não posso ficar com alguém que pensa essas coisas sobre mim, que está sempre me espremendo nos cantinhos da sua vida e que não acredita em mim sobre um assunto tão sério. Eu achei que te conhecia, mas obviamente me enganei. Não sei como a gente poderia dar certo.

Não acredito no que acabei de falar. Acho que Noah também não. Ele vira, sai do meu quarto e bate a porta.

41

Assim que Noah sai, pego o celular e ligo para Elliot. Nem me importo com o preço da ligação internacional. Ele atende depois de alguns toques.

— Alô?

Deve ter acontecido alguma coisa. Elliot está distante, falando baixo... mas então olho para o relógio e vejo que são duas da manhã. Acho que o acordei.

— Desculpa ligar tão tarde — começo. Tento manter a voz calma, apesar de ter passado a última hora discutindo e chorando.

— Tudo bem — ele responde. — Eu estava acordado. — Mas continua frio e distante.

— Estava?

— O que está rolando?

— O rolo?

A tentativa de piada é pouco entusiasmada. É o tipo de coisa de que Elliot riria pelo menos um pouco, mas ele não faz nenhum barulho. Acho que nenhum de nós está com humor para gracinhas.

— Elliot, acho que o Noah e eu acabamos de terminar. — Sento e mexo no cabelo durante o silêncio sinistro. A única coisa que me dá certeza de que a ligação não caiu é o fato de ouvir a playlist baixo-astral de Elliot ao fundo. Está tocando "Always", do Bon Jovi, o que me faz sentir um lixo. Não consigo mais chorar sem fazer barulho e começo a soluçar no telefone.

Elliot respira fundo do outro lado.

— Não pode ser.

Faço um ruído que, imagino, serve como uma resposta afirmativa, e finalmente a ficha dele cai.

— Mas... por quê? O que aconteceu? O que ele fez agora? — Elliot entra imediatamente no modo melhor amigo defensivo. É *desse* Elliot que preciso.

— O traste do melhor amigo dele tentou me beijar, e, quando fui procurar o Noah pra contar o que tinha acontecido, ele estava conversando com o Dean, o empresário, que explicava por que ele não devia ter uma namorada. O Blake também estava lá, e ele mentiu! Disse que eu dei em cima dele! Adivinha em quem o Noah acreditou. Ele disse que eu planejei tudo pra chamar atenção, que o Blake nunca faria isso. Estou chocada. E muito sozinha.

Vejo meu reflexo no espelho, o mesmo no qual, no começo da noite, vi aquela Penny tão linda. Agora só vejo uma Penny horrível e arruinada. O rímel e o delineador preto escorrem pelo meu rosto, o vestido preto de renda e cetim está escondido embaixo do moletom, e o abacaxi na minha cabeça não parece mais tão fresco.

— Não posso crer que o Noah não acreditou em você... Você está bem? Quer que eu mande alguém dar um pau nesse Blake?

Dou risada entre os soluços.

— Você e o Alex juntos não dão conta dele?

— Bom, aí temos outro problema. — Uma pausa demorada. — Eu ia esperar você chegar pra contar, mas... o Alex e eu também terminamos.

Agora entendo por que ele está ouvindo essa playlist.

— Ah, não, Elliot... O que aconteceu? Eu sinto muito. — Estou sinceramente chocada. Francamente, não pensei que ouviria isso do Elliot. A distância entre nós parece imensa neste momento. Quero entrar pelo telefone e abraçá-lo para sempre. Então lembro: — Ai, não! Foi por causa da foto?

— Isso foi o primeiro passo, mas tem outras coisas. Eu conto pessoalmente. É demais pra uma conversa por telefone. Queria estar com você agora. — Elliot suspira, e Whitney Houston grita no laptop dele ao fundo.

202

— Eu também. Acho que nunca quis tanto ter você do outro lado da parede. Seria só bater e você viria me ver.

Continuamos falando da falta que sentimos um do outro e das coisas que faríamos se estivéssemos juntos agora. Elliot até confessa que buscaria uma caixa com vinte nuggets no McDonald's para mim, e sei que ele entende quanto isso é sério. Ele odeia McDonald's, exceto em situações de emergência.

Suspiro e olho pela janela. A Torre Eiffel, que há poucas horas parecia tão romântica e linda, agora é só um lembrete de quanto estou longe. Queria estar em casa ouvindo o dubstep alto no quarto do Tom, minha mãe cantando e errando as letras de todas as músicas no rádio, e meu pai fazendo piadas ruins sobre tudo.

— Ai, Elliot, o que eu faço? — pergunto, me sentindo completamente perdida.

Mas, para minha surpresa, Elliot deixa escapar uma exclamação animada, e tenho quase certeza de que posso ouvi-lo bater palmas do outro lado. Escuto o ruído do teclado do laptop.

— Penny, tive uma ideia. É meio maluca, mas você precisa confiar em mim. Esteja na Gare du Nord amanhã de manhã, às nove e meia, com todas as suas coisas. Vou te trazer pra casa.

Meu coração parece bater na garganta.

— Wiki, eu tive muitas decepções nos últimos tempos. Não promete se não tiver certeza que pode cumprir.

— Lady Penélope, quando foi que eu te decepcionei? Pode confiar em mim.

E, é claro, Elliot está certo: ele nunca me desapontou. Sinto um alívio enorme quando penso em voltar para casa, um alívio tão grande que nem me incomodo por ter que pegar o trem sozinha. Amanhã vou dormir na minha cama.

— Eu te amo, Elliot.

— Eu também te amo, Penny. Não esquece: nove e meia da manhã na Gare du Nord. Anota aí. Existem oito grandes estações de trem em Paris, e não quero que você se confunda!

— Já entendi, Wiki — respondo, tentando demonstrar mais confiança do que sinto. Mas Elliot conseguiu o que eu achava que ninguém conseguiria: ele me animou um pouco. Agora pelo menos eu tenho um plano: vou para casa.

42

Quando consigo ir para a cama, são quatro da manhã. As quatro horas de sono agitado não reduzem muito as bolsas sob meus olhos, que parecem pequenos balões.

Estou animada com a volta para casa, mas não consigo parar de olhar o celular, de esperar uma mensagem de Noah dizendo que errou, que não deveria ter duvidado de mim e que não quer terminar. Mas não tem nada.

Corro pelo quarto e vou jogando minhas coisas na mala. Meu estômago se comprime quando lembro que deixei a bolsa com a máquina fotográfica em algum lugar perto do quarto de Blake, mas não posso me preocupar com isso agora. Vou perguntar na recepção se alguém a entregou. De acordo com as informações que vejo no celular, só preciso de dez minutos para chegar à Gare du Nord de táxi. Ainda tenho tempo.

Sento na cama e rasgo um pedaço de papel de um bloco. Nunca escrevi uma carta de adeus antes, e não esperava que a primeira fosse para Noah. Não sei por onde nem como começar. Escrevo meus pensamentos várias vezes, mas tudo parece estar errado. Amasso as folhas de papel e jogo na direção da lata de lixo (que lavei para evitar que o quarto cheirasse mal a noite toda).

Finalmente, fico satisfeita com o que escrevi.

Noah,

Não sei nem por onde começar. Tem muitas coisas que eu queria dizer, mas a única que preciso dizer é que fui para casa.

Lamento que tudo isso tenha acontecido, mas sinto que aqui eu te atrapalho. Espero que agora você possa viver tudo o que a fama tem a oferecer, sem ter que me arrastar com você.

Não dá para esconder que estou magoada e triste. Investi tudo o que tinha nesse relacionamento, e você jogou tudo de volta na minha cara. Espero que um dia você perceba que eu nunca menti para você, e que tudo o que eu queria era te fazer feliz.

Você sempre vai ser o meu Incidente Incitante, mas talvez Incidentes Incitantes sempre precedam o Fim, não é?

Penny x

P.S: Por favor, não me procure. Preciso de um tempo para clarear as ideias.

Deixo a carta ao lado do meu celular, que verifiquei mais uma vez. Nenhuma notícia de Noah. Acho que pedir para não me procurar é desnecessário; ele não tem essa intenção, provavelmente.

Dou uma última olhada no quarto e levo a mala para o corredor. É difícil, esta é a primeira vez que tenho que puxar minha mala sozinha, sem ninguém para me ajudar, e reuni muitas lembrancinhas para levar para casa, inclusive umas vinte miniaturas de xampu e hidratante de todos os hotéis.

Quando chego ao saguão, alguém me chama:

— Penny?

Meu coração dispara e me faz pensar que pode ser Noah. Ele vai pedir desculpas? Viro e vejo uma cabeça careca e brilhante e um sorriso animado.

— Larry! — Sorrio para ele e torço para os óculos escuros esconderem bem meus olhos inchados.

— Eu te procurei em todos os lugares. Achei que podia querer isto aqui. — Ele me entrega a bolsa com a câmera. Não consigo me controlar e lhe dou um abraço. Ele é a única pessoa nessa turnê que sempre cuidou de mim. Minha cabeça não chega nem na altura de seu queixo, e ele ri.

— Obrigada, Larry — digo, fungando, e depois o solto.

— Ainda bem que te achei! Mas aonde você vai, mocinha? Quer ajuda com isso? — Ele pega a mala e a leva para a frente do hotel.

— Na verdade, eu... vou pra casa. — Olho para a rua procurando alguma coisa que pareça um táxi, pronta para acenar e pedir ao motorista para me levar à estação.

Ele franze a testa.

— Mas...

— Por favor, não faz perguntas, Larry. — Sinto meu queixo começar a tremer, mas me recuso a chorar; já chorei muito. Rezo para um táxi passar por ali. Vejo um que parece estar livre, mas ele passa por mim e para diante de uma mulher muito elegante com um poodle no colo. Olho para minha roupa, camisa e legging, e fico frustrada. Não sabia que em Paris a gente tem que ser chique até para conseguir um táxi.

— O Noah sabe? — Larry pergunta com suavidade.

— É claro que sim — digo. Não é mentira. Ele vai saber assim que ler a carta.

— Bom, então ele não vai querer que você vá sozinha até a estação. Eu te levo.

Ele nem se importa com o que acontece comigo, penso, mas sei que estou sendo mesquinha. E uma carona só vai me ajudar. Larry aponta o Mercedes de janelas pretas parado ali perto, e eu olho para o trânsito na rua.

— Tudo bem. Obrigada, Larry. — Já basta ter terminado com meu namorado. A última coisa de que preciso é me perder em Paris carregando uma mala pesada. — Muito obrigada.

Ele é generoso o bastante para conversar comigo no carro, me contar sobre a visita que fez à Catedral de Notre-Dame no dia anterior. Quando chegamos à estação, Larry me ajuda com a mala e me deseja sorte, e eu agradeço por tudo que ele fez por mim durante a turnê.

— Não foi nada, Penny. E não se preocupa, o Noah vai cair na real — ele conclui com uma piscadinha simpática.

Sorrio com tristeza e assinto. Depois viro e encaro a entrada imponente da estação. Respiro fundo e entro com toda a confiança que consigo reunir.

Lá dentro, desisto de fingir. Também percebo que não sei o que devo fazer. Devia ter pedido mais detalhes para o Elliot, mas, às quatro da manhã, depois de uma das piores noites da minha vida, eu não estava em condições de fazer as perguntas mais apropriadas. Elliot só falou que eu tinha que estar aqui às nove e meia da manhã. Olho para o painel que anuncia as partidas e não vejo nenhum trem programado para Londres antes das onze e meia. Ele queria me dar mais tempo? Olho em volta para ver se alguém segura um cartaz com meu nome, mas não tenho essa sorte.

Respira, Penny, digo a mim mesma. *O que o Elliot faria?* Tento pensar de forma sensata e lógica, o que é difícil, porque essa parte do meu cérebro adormeceu sob uma camada de névoa emocional.

— *Excusez-moi?*

Olho para a mulher pequenina no guichê com vitrine de vidro, e ela sorri para mim com simpatia. Seu rosto é delicado, e os olhos são emoldurados por óculos redondos. Ela exagerou no batom vermelho.

— *Parlez-vous anglais?* — pergunto, esperando não estar assassinando o francês. Quando ela confirma com um movimento de cabeça, respiro aliviada. — Preciso ir para a Inglaterra. Meu nome é Penny Porter. Por acaso alguém reservou uma passagem pra mim?

A mulher me olha com ar meio confuso.

— *Pardon?* Meu inglês não é muito bom. Você fez uma reserva?

— Sim! Talvez. — Entrego meu passaporte. Ela sorri, olha para o computador e começa a digitar.

Depois franze a testa.

— Não, não tem nada no seu nome.

— Ah, entendo. Pensei que o meu amigo tivesse reservado uma passagem pra mim. Elliot Wentworth? — Percebo que estou exagerando nos gestos tentando me explicar e fico muito vermelha. É evidente que essa mulher não vai entender quem é Elliot por causa dos meus gestos.

— *Mademoiselle?* Precisa de uma passagem? — Ela aponta para o computador, depois para um trem, sorrindo como se tivesse acabado de ganhar na loteria.

Sorrio de volta com a mesma simpatia e balanço a cabeça.

— Deixa pra lá. Tudo bem. Obrigada. *Merci.*

Levo minha mala cor-de-rosa de volta para a área de embarque. Onde eu estava com a cabeça quando decidi voltar para casa sozinha? Não importa se Elliot planejou alguma coisa para mim. Eu sou um desastre, um acidente pronto para acontecer. Sento sobre a mala e telefono para Elliot para perguntar o que tenho que fazer, mas a ligação cai na caixa postal. Resmungo para a tela:

— Agora não, Elliot, seu completo e absoluto...

— Pen! Achei você!

Viro e vejo Elliot parado ali, vestindo calça xadrez com mocassim vermelho. O cabelo castanho está perfeitamente penteado, e a camisa branca com gravata-borboleta preta combina com os óculos de aro de casco de tartaruga. Corro e pulo em cima dele, envolvendo sua cintura com as pernas, como nos abraços dos filmes.

— Ei, vai com calma! Isso aqui não é *Dirty Dancing*! Não tenho físico pra esse tipo de demonstração de afeto — Elliot reclama.

Ele me solta e eu caio em pé.

— Desculpa, é a alegria de te ver! É você mesmo? Era esse o plano?

— Sim. Pensei em te levar pra casa, mas mudei de ideia. Somos dois deprimidos fracassados. Daí pensei: *Quero ser um deprimido fracassado no meu quarto em Brighton ou em Paris?* Nova York tirou você da depressão, Paris pode fazer o mesmo por mim. Acho que é o destino. Eu tinha uns dias de folga na CHIC; usei o cartão de crédito que o meu pai deixou comigo para emergências e comprei as passagens. E tive tempo suficiente para ir até Londres e embarcar no Eurostar hoje cedo. Não dormi nada. Preciso de um banho, porque me sinto nojento. Mas estou aqui!

209

— Elliot, você é demais! O que vamos fazer agora?

— Fiz reserva em um hotel no décimo quinto *arrondissement*.

Eu amo tanto o Elliot!

— O que é isso? — pergunto.

— É uma área de Paris. Sabia que Paris tem vinte *arrondissements*?

Elliot segura meu braço e vamos procurar um táxi.

A tristeza paira sobre mim como uma nuvem negra, mas é como se outras nuvens se dissipassem para me deixar ver o lindo arco-íris que apareceu para espantar um pouco a escuridão. Agora que Elliot está aqui, eu me sinto diferente.

— Eu não sabia! Elliot, você está ótimo, considerando que não dormiu. Você devia ver meus olhos atrás desses óculos.

Ele levanta meus óculos e olha para mim com ar preocupado.

— Qual é a marca?

— Dos óculos? Ah, não são de grife. Comprei na Topshop há dois anos.

Ele dá risada e baixa meus óculos novamente.

— Não, das bolsas, querida. — Elliot continua rindo enquanto me leva para um táxi. Também consigo rir enquanto me acomodo dentro do carro ao lado dele.

O táxi está se afastando da estação quando vejo uma silhueta conhecida e cabelos castanhos despenteados. Não consigo decidir se é o choque ou a alegria que faz meu corpo pulsar. Noah veio me procurar.

— Para o carro! — grito.

43

Só que não é o Noah. Quando o desconhecido vira, vejo que nem é parecido com Noah. É só minha imaginação desesperada me pregando peças.

O motorista do táxi resmunga uma reclamação quando me reclino no banco, e Elliot bate delicadamente em minha mão.

Felizmente o trajeto não é muito longo, mas, quando paramos em frente ao hotel que Elliot reservou, não consigo evitar a dúvida. É um lugar muito diferente daqueles em que me hospedei com o pessoal da turnê. O exterior é simples, e as paredes são cobertas de grafite.

Elliot dá de ombros.

— Foi o que achei de última hora. Mas tem uma pontuação boa no TripAdvisor!

Seguro a mão de Elliot e entramos no hotel. Só o fato de ele estar aqui é algo que nenhum dinheiro no mundo pode comprar, e eu ficaria satisfeita com uma caixa de papelão para dormir, contanto que estivéssemos juntos.

Ainda é cedo, mas a recepcionista entrega a chave e levamos a bagagem pela escada até o terceiro andar. Temos ataques de riso tentando arrastar a mala pesada degrau por degrau, e quase não consigo respirar. A combinação de falta de preparo físico (eu não deveria ter faltado em tantas aulas de educação física) e ataque de riso dificulta muito a tarefa.

211

O hotel não é diferente apenas no exterior. Ele também é bem menos espaçoso. As duas camas de solteiro em nosso quarto ficam bem próximas, e a extremidade delas quase toca a parede. Tem uma janela pequena, mas nenhuma esperança de vista para a Torre Eiffel. Em vez disso, o que vejo é uma parede e uma escada de incêndio. A pichação na parede lateral diz: "L'AMOUR EST MORT". Elliot traduz: "O amor morreu". Sei como se sente essa pessoa. No banheiro, o chuveiro fica quase em cima do vaso sanitário, e tenho que me encolher para caber embaixo dele.

— Bom, dá pra resolver dois problemas de uma vez só — Elliot comenta, rindo, quando espia o banheiro da porta.

Caímos exaustos na cama. Mesmo triste por causa do rompimento com Noah, não pensei em como Elliot deve estar se sentindo. Alexiot não existe mais, e meu coração fica apertado pelo meu amigo.

Estico o braço e seguro sua mão.

— Wiki? Você percebeu que a história com o Alex estava acabando? Vocês discutiam muito? — Deito de bruços e apoio a cabeça nas mãos.

Ele suspira exageradamente e cruza as mãos sobre a barriga.

— O Alex ainda não assumiu quem realmente é, e é claro que no começo isso não me incomodava. Eu nunca o pressionaria pra sair do armário, eu sabia que as coisas tinham que acontecer no ritmo dele. Mas, por mais idiota que pareça, eu acreditei que a essa altura já teríamos ultrapassado esse obstáculo juntos. Pensei que eu poderia ser a pessoa que o faria mudar, ter mais confiança... Ai, isso parece um filme ruim. Sei que eu nunca vou poder mudar ninguém, Penny, estou cansado de perder tempo. A foto do nosso beijo só aumentou tudo. Ele surtou e quis saber como eu deixei isso acontecer. Disse... — Elliot baixa a voz, e meu coração fica ainda mais apertado. — Ele disse que nunca devia ter me beijado. Eu me senti tão mal.

Olho para Elliot, que está de olhos fechados, bem apertados. Depois de um instante, quando abre os olhos e pisca, sua voz soa mais dura. O tom lembra o do pai dele, e é estranho, porque ele nunca fala como o pai.

— É triste investir tanto em alguém e não sentir que esse investimento teve um bom retorno. Então teve que acabar mesmo.

Elliot vira de lado e, apesar do que acabou de dizer, acho que nunca o vi tão chateado antes. Sei que, quando tem que lidar com alguma coisa triste, ele prefere fechar a torneira da emoção a deixar o mundo perceber como está sofrendo.

— Tudo bem, Wiki, isso é horrível. Mas você precisa entender que não tem a ver com você. O Alex precisa resolver isso dentro dele, o que é muito ruim pra você, porque não há nada que você possa fazer além de sentar e esperar o desfecho. Mas você não fez nada de errado quando quis esse relacionamento, e seus sentimentos têm que ser respeitados. Ele não pode te esconder pra sempre! — Olho para Elliot e sorrio, só para ver se consigo injetar nessa situação um pouco de positividade.

É um alívio vê-lo retribuir o sorriso.

— Eu sei, Penny. É só que... eu gosto dele. Tipo, gosto *mesmo*. — E levanta as sobrancelhas para mim.

— Tipo mesmo, *mesmo*? — Levanto e abaixo as sobrancelhas para ele, e acabamos rindo um pouco. Em seguida ele pula da cama.

— Tipo mesmo, mesmo, *mesmo*. Olha só pra gente, Penny. Estamos agindo como se o mundo tivesse parado de girar. Ficamos cozinhando nesse caldeirão de tristeza, e não tem nada de atraente nisso. Estamos em Paris, pelo amor de Deus! Vamos esquecer esses caras, sair e nos divertir. Você não teve nenhum Dia do Mistério Mágico com o Noah, mas vai ter um comigo, ah, vai!

— Ah, eu conheço uma rua que tem butiques que você vai amar! — Lembro do dia em que saí com Leah. Foi ontem? Parece que foi há um milhão de anos. — É tudo tão chique, tão elegante...

Elliot franze a testa.

— Espera, como você sabe que tem uma rua cheia de butiques?

Fico vermelha.

— A Leah me levou lá. Ela me vestiu para a festa depois do show ontem à noite. — Pego o celular, apesar da dor de ver minhas fotos com Noah, como estávamos felizes. Encontro uma que Leah tirou logo que saímos do hotel, quando cabelo, maquiagem e roupas estavam perfeitos. Mostro a foto para Elliot, que abre a boca.

213

— O Noah desistiu de você depois *disso*? Meu amor, ele é um tonto.

Pego o celular de volta e guardo no bolso, e as lágrimas voltam a inundar meus olhos.

— Talvez, se eu soubesse manter essa aparência o tempo todo, fosse suficiente pra ele.

— Ah, não. Essa não é a Penny que eu conheço. Se ele não te ama assim — e aponta para meu cabelo desgrenhado, a legging e a camisa —, ele não te merece. Penny, você não é uma princesa, é uma rainha. E rainhas merecem croissant e chocolate quente no café da manhã. Vem, vamos sair.

44

Croissants fofos e crocantes que derretem na boca, mergulhados em chocolate quente aveludado deveriam ser requisitos básicos para qualquer pessoa na manhã seguinte a um rompimento. Tenho certeza de que a garçonete olha para nós com desaprovação quando pedimos a última meia dúzia de *pains au chocolat*, mas nem ligo.

Elliot a conquista com seu francês fluente, e em pouco tempo eles estão falando sobre onde encontrar os melhores *macarons* de Paris. Elliot parece muito requintado; suspiro a cada vez que ele fala, o que começa a irritá-lo depois de um tempo.

Após o café, andamos por uma avenida de lojas muito caras, a mesma à qual Leah me levou, e sinto uma onda de tristeza me invadir quando lembro todo o esforço que fiz por Noah na noite passada. Só para tudo dar errado. Cada vez que começo a ficar triste, Elliot pega o saquinho com os *pains au chocolat* que sobraram e me obriga a dar uma mordida, enquanto ele faz a mesma coisa.

Funciona — até comermos todos os *pains au chocolat*. Decidimos ir almoçar, e eu provo o *croque monsieur* mais cheio de queijo do mundo, e, é claro, uma fatia de torta de maçã. Quem disse que comida não resolve todos os problemas? Comida e melhores amigos são a melhor combinação.

Depois do almoço vamos à Pont des Arts, no rio Sena, também conhecida como a ponte dos cadeados do amor. Elliot está determinado a arrumar um cadeado, escrever meu nome e o dele e prendê-lo à ponte para sempre em homenagem à nossa amizade, mas, quando chegamos lá, descobrimos que todos os cadeados foram retirados. No lugar há um cartaz pedindo para as pessoas não colocarem mais cadeados, porque o peso está danificando a ponte.

Elliot fica decepcionado, mas eu não. Acho que não gosto de pensar no meu amor como um cadeado. Prefiro compará-lo à ponte sobre a qual estamos, algo que conecta dois corações que, de outra maneira, jamais teriam se encontrado. Os cadeados do amor são meio parecidos com todos os problemas que Noah e eu tivemos: cada um era pequeno, mas, juntos, se tornaram suficientes para nos fazer balançar e, no fim, desmoronar.

Os cadeados do amor não são mais permitidos, mas estamos cercados de casais felizes tirando fotos nessa ponte que, por muito tempo, foi o símbolo do amor eterno. Queria que Elliot não tivesse me trazido aqui. A última coisa que quero ver é um bando de casais fazendo biquinho de beijo para a tela do celular.

— Bom, não vai rolar cadeado, mas a gente pode fazer um passeio romântico pelo Sena. — Elliot me traz de volta ao momento quando começa a correr pela ponte me puxando pelo braço. — Sabia que tem mais de trinta pontes sobre o Sena em Paris? — Ele engancha o braço no meu.

— Não acredito — respondo. Parece que passamos por meia dúzia delas em nossa breve caminhada. Apoio a cabeça no ombro de Elliot e seguimos caminhando pela margem do rio, vendo os barcos que passam devagar, cheios de turistas.

— Olha! Olha! — Elliot aponta a Torre Eiffel, que agora está bem na nossa frente.

Embora ela me faça pensar instantaneamente em Noah e em como estivemos perto de viver uma Noite do Mistério Mágico, não consigo deixar de admirar toda a sua grandiosidade vista assim, de perto, com seu corpo de ferro subindo em direção ao céu azul e limpo. É tão icônica que sinto o coração na boca quando olho para ela. Elliot segura minha mão e começamos a correr, desesperados para chegar mais perto.

216

Há centenas de turistas à nossa volta, e somos forçados a andar mais devagar. Elliot assobia baixinho, visivelmente impressionado. Agora meu coração parou por um motivo diferente: um grupo de turistas japoneses acabou de se afastar de nós, revelando uma fileira de cartazes presos a um tapume, e um deles tem o rosto de Noah. São os primeiros pôsteres da turnê que vejo: ele está segurando o violão e sorrindo para a câmera, e sua foto aparece logo abaixo de uma foto maior do The Sketch. A banda principal ocupa uma área maior do cartaz, mas é o rosto de Noah que se destaca para mim.

Ainda um deus do rock... embora não seja mais o *meu* deus do rock. Quando sinto que vou desabar, ouço "I Will Survive" brotando de alguma caixa de som perto dali. Viro e vejo um homem de meia-idade cantando e dançando na rua, ao lado de um aparelho de som. Minha primeira reação é negativa. Pensa bem: quantas pessoas você conhece que dançam um hino da década de 70 no meio de Paris? O absurdo da cena me faz querer rir e chorar ao mesmo tempo.

Muitas emoções diferentes correm pelo meu corpo, e não consigo decidir qual delas devo expressar, por isso olho para Elliot em busca de alguma orientação. O rosto dele facilita um pouco as coisas para mim, porque seu sorriso é tão largo que quase posso ver suas obturações. Elliot me tira para dançar. Eu aceito e começamos a dançar embaixo da Torre Eiffel como dois idiotas com o francês, cantando "I Will Survive" tão alto quanto ele. Outras pessoas também dançam e cantam. É como se tivéssemos criado um gigantesco flash mob parisiense.

Eu me sinto maluca, lunática, porém livre. E é a primeira vez em muito tempo que me sinto eu novamente.

3 de julho

Músicas Para Curar um Coração Partido

Sabe aquele dia que achei que nunca ia chegar?

Aquele que eu não conseguia imaginar nem em um milhão de anos?

Chegou.

O Garoto Brooklyn e eu não estamos mais juntos.

Não posso escrever mais que isso no momento. Mas vou dizer uma coisa: decepção amorosa nunca é fácil, mas dizem que a música cura a alma. Wiki e eu estamos fazendo uma lista das melhores músicas para enfrentar a montanha-russa emocional que é um rompimento.

1. "Someone Like You" — Adele

2. "Irreplaceable" — Beyoncé

3. "We Are Never Ever Getting Back Together" — Taylor Swift

4. "End of the Road" — Boyz II Men

5. "I Will Survive" — Gloria Gaynor (cortesia de um francês maluco com quem dançamos ontem embaixo da Torre Eiffel)

6. "Since U Been Gone" — Kelly Clarkson

7. "Forget You" — CeeLo Green

8. "Without You" — Harry Nilsson

9. "I Will Always Love You" — Whitney Houston

10. "You Could Be Happy" — Snow Patrol

11. "The Scientist" — Coldplay

12. "With or Without You" — U2

13. "Survivor" — Destiny's Child

14. "Single Ladies (Put a Ring on It)" — Beyoncé

15. "Losing Grip" — Avril Lavigne

Ouvir essa playlist pode fazer você se sentir melhor, ou fazer você chorar, ou tudo isso ao mesmo tempo — nesse caso, você e seu amigo podem finalizar com uma disputa de quem dança melhor "Single Ladies", da Beyoncé, pulando entre duas camas de solteiro, no menor quarto de hotel de Paris.

Garota Offline... nunca online xxx

45

Quando o Eurostar parte da Gare du Nord a caminho da Inglaterra, eu apoio a cabeça no ombro de Elliot e vejo Paris desaparecer pela janela. É estranho deixar Noah ali, em uma jornada que começou com nós dois juntos e agora termina com nós dois... separados. VerdadeVerdadeira conseguiu o que queria, afinal: Noah e Penny não existem mais.

Tantas promessas, tantas expectativas, para terminar assim, como um trem desgovernado que eu não consigo controlar.

Agora que estou mesmo a caminho de casa, lamento que não tenhamos trocado um último abraço, uma última conversa ou um beijo de despedida. É quase como se Noah tivesse acordado sem lembrar quem eu sou ou ao menos que eu existi.

— Em que você está pensando? — Elliot pergunta. Não respondo, e ele arrisca um palpite. E, é claro, acerta em cheio. — Não se preocupe muito com isso. Você pediu pra ele não te procurar, lembra? Ele está respeitando seu pedido, pelo menos.

Solto um grunhido e aperto o cardigã da minha mãe contra o corpo. Mal posso esperar para trocar essa blusa pelo abraço dela de verdade. Estou precisando disso agora — assim como preciso não pensar que este trem viaja por um túnel que passa por baixo de um grande canal.

A questão não é que eu pedi para Noah não me procurar; a questão é que eu poderia estar em qualquer lugar, com qualquer pessoa, e ele parece não se importar. Eu poderia estar caída no acostamento de uma estrada em Paris. Tudo bem, Larry deve ter dito a ele que me deixou na estação, mas Noah podia ao menos ter tentado contestar minha partida ou o nosso rompimento... Qualquer coisa, menos esse grande nada.

Continuo relembrando aquele nosso momento no alto do Waldorf Astoria, em Nova York, no Natal, quando Noah me beijou pela primeira vez e eu pensei que nada nem ninguém poderia ser mais perfeito. Outra lembrança surge em minha cabeça: o primeiro dia que passamos juntos, quando ele entrou completamente no espírito do Dia do Mistério Mágico e me levou a um restaurante italiano, onde comemos espaguete e rimos das mesmas coisas. Todo mundo diz que é impossível duas pessoas se apaixonarem tão rápido, mas a química entre nós foi impossível de ignorar. Nós... encaixamos.

Nunca foi só um lance casual. É claro, eu me esforcei para fingir que era, mas meu coração batia descompassado sempre que ele aparecia. Eu fui seu Incidente Incitante, essa foi a nossa história, e a partir daí nossa vida mudou para sempre.

Retrocedo ainda mais, para quando o vi pela primeira vez no palco, fingindo ser um cantor de casamento. Ele parecia tão vulnerável e misterioso. Não percebi que ele poderia ser esse cara incrível, divertido, romântico, perfeito.

Não, eu me corrijo. *Perfeito, não. De jeito nenhum.* Onde foi que tudo deu errado? Como deixamos as coisas chegarem a esse ponto? Para onde foi o Noah que eu conheci? É como se, em cada parada dessa turnê, ele tivesse jogado fora alguma coisa dele que eu amava, até sobrar alguém que eu não reconheço.

O trem segue viagem, Elliot pega no sono, e também penso em como tudo isso foi minha culpa. Eu deveria ter imaginado que isso aconteceria. Mergulhei de cabeça nessa história pensando que tudo seria como nos filmes. O astro do rock fica famoso, se apaixona por uma garota e eles vivem felizes para sempre. Mas não vivemos um roteiro de Hollywood. Isso aqui é a vida real, e adivinha: às vezes a vida real é uma porcaria.

Meu telefone vibra, interrompendo meus pensamentos. É uma mensagem da minha mãe.

Penny, meu amor, seu pai e eu vamos
esperá-la na estação St Pancras. Estamos
loucos para ver você. No jantar hoje teremos
a torta de carne do seu pai, sua favorita. E
também vamos nos sentar juntos e assistir a
Um duende em Nova York, apesar de ser
julho. A gente pode até usar os suéteres de
Natal, se você quiser xxx

A mensagem me faz sorrir. Meus pais ainda não sabem todos os detalhes, mas me conhecem o suficiente para adivinhar. Tentei contar apenas que a turnê não era o que eu imaginava, mas eles me interrogaram pelo Skype como se eu fosse suspeita de um crime.

Consegui falar que as coisas com Noah não estavam muito bem, e meu queixo começou a tremer. Eles perceberam que eu não estava pronta para enfrentar um interrogatório completo e deixaram todas as outras perguntas para quando eu estivesse em casa.

Eu amo meus pais. Eles são muito atenciosos — apesar de serem atenciosos *demais*, às vezes. Sei como vai ser. Eles vão assar biscoitos todas as manhãs, na hora do almoço e à noite, me levar às minhas lojas favoritas e se esforçar para me deixar feliz. Sou muito grata por Elliot ter aliviado a dor aguda daquela primeira noite, indo me encontrar em Paris. Acho que, se tivesse ido para casa imediatamente, teria sido esmagada pela atenção dos meus pais. Não tem nada de ruim em ser amada — meus pais só querem que eu seja feliz —, mas às vezes isso sufoca.

A essa altura, a única coisa que quero é meu edredom. Quero me enrolar nele (embora meu quarto no sótão seja uma sauna no verão) e me esconder do mundo. Afundar num poço de autopiedade. Comer o equivalente ao meu peso em sorvete (para enfrentar o calor do quarto, é claro) e sumir da vida real.

Suspiro e respondo depressa antes de entrarmos no túnel (no qual NÃO vou pensar) e eu ficar sem sinal por um tempo.

Obrigada, mãe. Também quero ver vocês.
Nada de coisas de Natal, por favor, mas torta
de carne é ótimo xxx

Não quero estragar minha festa favorita com tristeza. Eles sabem como eu amo o Natal, mas neste momento só consigo pensar no Natal que passamos na casa de Noah e em como ele, Bella e eu decoramos a árvore. Dou uma olhada nas mensagens, e meu dedo paira sobre as que troquei com Noah. Uma parte de mim quer ler todas elas, reviver cada momento. Os "eu te amos", os "para sempres" e os "Incidentes Incitantes", mas não vou fazer isso. Desembarcar do trem tem que ser o começo de algo novo, não o fim.

Noah deve estar arrumando as malas para ir rumo à Noruega, e depois vai seguir com a turnê mundial. Já sinto tudo bem diferente. A vida de Noah segue toda certa, mas eu ainda sou atormentada por uma dúvida persistente.

O que vou fazer agora?

46

As notícias se espalham depressa quando se trata de Noah Flynn. Assim que chegamos à estação e eu finalmente recupero o sinal de celular, sou bombardeada com mensagens e notificações.

— Penny, você viu isso? — Elliot me mostra a tela do celular, em que vejo a manchete de uma revista online: "NOAH FLYNN ESTÁ SOLTEIRO. FAÇAM FILA, MENINAS, O GAROTO BROOKLYN ESTÁ FINALMENTE DISPONÍVEL".

É, a imprensa não perde tempo. Mas "disponível"? Sério? Como se ele fosse um objeto de leilão? Pensei que havia começado a entender como funciona a mídia, aprendido da pior maneira que eles chamam a atenção do público com suas manchetes distorcidas, aumentadas e, às vezes, completamente mentirosas. Mas dessa vez eles estão certos. Noah Flynn está solteiro. Eu só não esperava que ele anunciasse a novidade com tanta clareza, e tão depressa.

É como se todo mundo na minha lista de contatos estivesse mandando mensagens de condolências. A reação é ainda mais forte que na última vez, quando estive envolvida em um escândalo. Acho que é mais fácil se identificar com alguém que levou um pé na bunda. Leio as mensagens, e a maioria me faz alternar entre um sorriso e uma careta de desgosto.

Primeiro de Kira:

Meu Deus! Penny, acabei de saber. Que
DROGA. Avisa quando quiser encontrar
alguém, e eu levo uns doces e meus filmes
de terror preferidos! Nada como uma
maratona de *Sobrenatural* e *Atividade
paranormal* pra acabar com a tristeza... xx

Então de Amara:

BUU! Pensei que vocês fossem pra sempre. A
Kira falou que vai levar os filmes de terror...
eu levo a pipoca! xo

E também de Megan:

DIZ QUE É MENTIRA!! xx

Tem até um e-mail da Garota Pégaso:

Para: Garota Online
De: Garota Pégaso
Assunto: Lance do Noah

Oi, Penny.

Eu quis mandar este e-mail para dizer que estou pensando em
você. Lamento sobre você e o Noah. Quero que você saiba que
estou sempre aqui, se quiser conversar. Sei que, às vezes,
parece que o mundo todo está contra a gente, mas queria
dizer que adoro o que você faz, acho que você é muito
talentosa e extremamente corajosa. Eu nunca teria sido
capaz de acompanhar uma turnê, e aposto que você nunca
pensou que seria também. Enfim, tenho certeza de que ele

225

vai cair na real e te procurar. Não é o que a maioria dos
garotos acaba fazendo?

GP xx

Sorrio ao ler a mensagem, mas é um sorriso contido. Não acredito
que Noah vá me procurar tão cedo. Mais importante ainda: acho que
não quero que ele me procure.

Ainda estou olhando para o celular quando Elliot o arranca da minha
mão.

— Pennylícia, sua expressão mudou tantas vezes enquanto olhava
para o telefone que isso NÃO PODE te fazer bem.

— Tem razão — respondo, tentando adotar uma expressão tranquila para encontrar minha família. — Não vou deixar isso me deprimir.

Assim que passamos pelo portão do Eurostar, na estação St Pancras,
eu me jogo nos braços de minha mãe e esqueço minhas boas intenções.
Não consigo me controlar: as lágrimas correm pelo meu rosto. Agora que
estou novamente em solo inglês, tenho que reconhecer que acabou.

De verdade.

47

As coisas pioram muito na semana seguinte. Passo tempo demais senta-da perto da janela, com a testa apoiada no vidro, enrolada no meu edre-dom. Se alguém me fotografasse durante essa semana, poderia chamar a foto de *Retrato de uma garota muito triste.*

Como prometeram, as gêmeas promovem uma maratona de filmes de terror na minha casa, mas estou tão distraída que nem me abalo com *Atividade paranormal.* Isso *não é* normal para mim — sou aquela que agar-ra o braço do sofá até ficar com a mão branca e grito descontrolada cada vez que um fantasma aparece. Até o vento na janela me deixa apavorada.

Não tenho nenhuma notícia de Noah. Apesar de dizer que não que-ro saber, toda hora vou olhar se ele acessou o Skype. Sigo seu Twitter, o Instagram e outras redes sociais, como mais uma fã obcecada. Elliot passa em casa todos os dias quando volta da CHIC. Fico tanto tempo seguin-do Noah na internet que Elliot me fez calcular quantas horas passo on-line todos os dias atrás dele.

O dia em que passo quase dez horas nisso é bem ruim.

Fico esperando ver sinais de Noah deprimido, talvez um post nos-tálgico no Twitter, qualquer coisa que demonstre que é difícil viver sem mim. Mas, na verdade, sei que ele é muito discreto sobre esse tipo de coisa, por isso não há nenhuma atualização que trate da vida pessoal. Em vez disso, há uma enxurrada de posts sobre as datas dos shows da turnê, e um ou outro agradecimento aos fãs por continuarem apoiando seu trabalho na turnê mundial.

Às vezes eu queria ser mais parecida com Elliot. Seu jeito de melhorar depois do rompimento com Alex é apagar o cara completamente: deletar o número do telefone, bloquear o ex em todas as redes sociais, evitar a loja vintage e seguir a vida normalmente. Mas, para mim, isso é quase impossível. Sempre que saio do quarto, parece que ouço "Garota de Outono" no rádio do carro ou no supermercado. Agora que não estou mais com Noah, a impressão que tenho é que ele está mais presente do que nunca.

E é por isso que, apesar de ter voltado de Paris há mais de uma semana, eu me recolhi à poltrona ao lado da janela do meu quarto. Sei que estou desperdiçando as últimas semanas de liberdade no verão vivendo como um zumbi. Sei que não posso desligar todos os rádios do planeta enquanto tento superar Noah. Sei que não devia atualizar a página dele no Twitter a cada trinta segundos. Mas, sem Elliot para me distrair durante o dia, não tenho nada além dos grasnados ocasionais das gaivotas ou dos gritos do meu pai durante um jogo de futebol para me tirar desse estado de torpor mental.

E de quem é a culpa, Penny? Foi você quem decidiu ir atrás do namorado, em vez de se dedicar às próprias paixões.

Tem momentos em que odeio essa minha voz interior.

12 de julho

Como Superar a Obsessão Por Alguém

Quando a gente enfrenta os altos e baixos de um rompimento, é bem fácil se tornar um Sherlock Holmes moderno. Instagram, Twitter, Snapchat... Hoje em dia, bastam alguns cliques para saber o que as pessoas estão fazendo, e não sei o que sinto em relação a isso. Há momentos de impulsividade nos quais você quer sentar e ler tudo, até encontrar uma evidência incriminadora que sugira que seu ex seguiu em frente e nem liga mais para você. Mas, na verdade, temos como julgar esse tipo de coisa em cento e quarenta caracteres?

Tenho de admitir que é difícil. Você quer saber, mas também não quer. A descoberta pode te arrebentar em milhões de pedacinhos. Ficar obcecado por alguém não é saudável, todo mundo sabe. Ficar obcecado por alguém que é um deus internacional do rock é uma montanha-russa emocional, porque não sou a única stalker do Garoto Brooklyn. Centenas de Tumblrs e sites de fãs cuidam disso por mim. Eu poderia saber cada passo que ele dá, se quisesse...

Tenho vivido alguns dias sombrios, em que me perco na toca do coelho. Comecei até a seguir o Twitter de *amigos* do Garoto Brooklyn, que postam apenas uma sequência interminável de vídeos engraçados e um ou outro tuíte motivacional, do tipo "VIVA MUITO, MORRA JOVEM", quase sempre em letras maiúsculas. Desci um degrau a mais.

Descobri que o melhor jeito de pôr fim a uma obsessão é desligar todos os rádios que vejo, me recusar a entrar no carro, a menos que o motorista ponha um CD animado para tocar, e evitar a internet o máximo possível.

Na verdade, não posso dizer como deixar de ser obcecado por alguém, porque essa é uma daquelas coisas que só você pode fazer, e apenas no momento certo. Tudo que posso dizer é: seja forte e lute contra o impulso de atualizar tudo o dia todo, todos os dias.

Garota Offline... nunca online xxx

48

Deixo o laptop no fundo do meu cesto de roupa suja para parar de usá-lo, e decido me distrair desfazendo a mala, finalmente. Ela está fechada em um canto do quarto. Tenho muito medo das lembranças que posso ter guardado nela, com as meias e roupas íntimas. Respiro fundo, abro o zíper, levanto a tampa e... sou atacada por uma nuvem de perfume: a loção pós-barba de Noah. Empurro a mala para longe, como se estivesse pegando fogo. Absolutamente tudo me faz lembrar dele. Será que um transplante de cérebro pode me ajudar?

Suspiro e olho pela janela. Pelo menos a vista é linda sobre os outros sobrados em tons pastel; ao longe, consigo ver a crista branca das ondas. Normalmente eu pegaria a máquina e tiraria uma foto, mas hoje não.

— E aí, Pen?

Tom está parado na porta do meu quarto, e eu pulo quando ouço a voz dele. Estava tão distraída sentindo pena de mim mesma que nem ouvi o ranger do terceiro degrau da escada, o alerta de que alguém se aproxima do meu quarto.

Tom entra desviando da roupa suja espalhada no chão e senta na beirada da cama.

— Oi. E aí? — Levanto da cadeira perto da janela e vou sentar ao lado dele.

— Seu guarda-roupa térreo está meio desorganizado... — Ele chuta um jeans amassado.

— É, eu sei, está uma bagunça. É que... *aff*. Não tenho motivação pra nada. Hoje foi o primeiro dia da semana em que escovei o cabelo. Não lembro quando foi a última vez que o lavei.

Tom faz uma careta enquanto tento passar os dedos entre as mechas embaraçadas.

— Penny, eu sei que você não quer ouvir o que eu vou dizer, mas é necessário: você precisa sair desse baixo-astral. Não vale a pena ficar assim por ninguém, e eu odeio te ver desse jeito.

Olho para Tom esperando que ele dê risada, ou diga que está brincando, ou faça alguma palhaçada, mas nada disso acontece.

— Você voltou dessa turnê diferente. Parece outra pessoa. Você precisa se encontrar de novo. Por exemplo, você sabe onde está a sua câmera?

— É claro que sei! Está... — Olho em volta e não a vejo.

— É claro que não sabe. Eu peguei a câmera pra ver se você percebia. Não percebeu. — Ele a pega atrás de si e a coloca no espaço entre nós.

A máquina fica ali, me atormentando: *Lembra quando você gostava de me usar? Lembra quantas fotos do Noah você tirou comigo?* Quero vomitar. Empurro a lente da câmera para o outro lado.

— Pode ficar com ela. Não quero.

— O quê? Por quê? Por causa do Noah?

Reviro os olhos.

— Nossa, você lê pensamentos.

Tom pega a câmera e a coloca no meu colo, depois põe minha mão em cima.

— Você é uma Porter, e os Porter não desistem de suas paixões. Eles insistem até elas se concretizarem. Não vamos pensar naquela vez em que o nosso pai tentou aprender a mergulhar... Aquilo não deu muito certo... — Ele ri. — Se você vai desperdiçar o resto do verão, pelo menos ocupe esse tempo com alguma coisa que ama.

Sinto meu corpo todo se comprimir. As palavras de Tom abrem uma brecha no muro que eu estava construindo em minha cabeça para tentar esquecer Noah; o muro que, agora percebo, comecei a erguer no primeiro dia da turnê, quando tudo começou a dar errado.

Não gosto de chorar na frente de Tom. Ele é forte e atencioso, mas é muito prático, e no fundo eu queria ser mais parecida com ele. Meu irmão vê o mundo de um jeito bem diferente de mim, e é revigorante ouvi-lo dizer essas coisas.

— E aí? O que acha?

Deixo a máquina fotográfica em cima da cama, o que faz Tom suspirar. Depois olho em volta e vejo o recorte de revista colado na parede. Aquele que me chama de "namorada de Noah Flynn". Houve um tempo em que esse recorte me deixava orgulhosa. Agora ele me deixa meio brava.

Tom está certo: estou me perdendo em tudo isso. Estou me permitindo sentir inferior, mas na verdade existem coisas nas quais eu sou boa. Pego o recorte da parede e olho para ele por alguns momentos, antes de amassá-lo e jogá-lo na lata de lixo. Sento novamente na cama e fico em silêncio.

Tom se inclina e me envolve com um braço.

— Bem-vinda de volta, Penny. O mundo está te esperando.

— Valeu, Tom. Você é demais.

Depois que meu irmão sai do quarto, escuto meu telefone tocar em cima do criado-mudo. Imagino que seja Elliot mandando uma mensagem do trem, contando alguma coisa engraçada que aconteceu durante o dia.

> Penny, eu soube o que aconteceu. Sinto
> MUITO. Espero que você esteja bem. Escuta,
> talvez isso te anime: tenho uma oferta que
> você talvez queira aceitar. dê uma olhada no
> seu e-mail. Leah xx

Deixo o telefone sobre o criado-mudo e vou pegar o laptop embaixo das roupas sujas no cesto. Abro o programa de e-mails e, sim, tem uma mensagem de Leah.

Enquanto leio, sinto meu queixo cair.

De: Leah Brown
Para: Penny Porter
Assunto: ÓTIMAS NOTÍCIAS

Penny querida,

Queria poder fazer essa pergunta pessoalmente, mas, como isso não é mais possível, vou ter que me contentar com o e-mail. É tudo ABSOLUTAMENTE confidencial, é claro, então, por favor, não comente com ninguém, exceto sua família.

Não tive chance de te falar sobre o meu novo álbum, mas decidi que o título vai ser *Life in Disguise*, ou "Vida disfarçada". Já escrevi várias músicas sobre como tive que disfarçar muitas coisas para lidar com a fama. Minha vida amorosa, meus amigos e, às vezes, até minha identidade.

Fizemos as fotos da capa com François-Pierre Nouveau, mas não gostei do resultado. As fotos são muito posadas. Quero uma coisa natural. Leve. Verdadeira.

Então pedi para a minha equipe de design criar uma capa a partir da sua fotografia, aquela que você tirou de mim em Roma, quando eu estava disfarçada. Lembra? Eu amei aquela foto, ficou perfeita.

E é ainda mais perfeita na capa do meu novo disco.

Dá uma olhada.

Você acha que eu posso usar a foto? Estou mandando um contrato com os detalhes do pagamento, direitos autorais e outras coisas. Posso indicar um advogado, se você quiser a orientação de um profissional. Se concordar com tudo, me mande a imagem em alta resolução e a coisa acontece!

Espero que você concorde comigo quando digo que isso é perfeito. Você é uma fotógrafa incrível, Penny!

Sinto sua falta na turnê. Pode apostar: assim que eu voltar para a Inglaterra, vou te visitar em Brighton... e não aceito não como resposta!

Sua amiga,

Leah xx

Minha mão está tremendo quando clico no arquivo anexo.

Lá está. A foto que tirei de Leah na capa do novo disco. NA CAPA DO NOVO DISCO. Eles cortaram o canto superior da imagem, para não mostrar que a foto foi feita em Roma, e, apesar de Leah estar muito diferente, com o cabelo chanel e o batom forte, tem uma aura em torno dela que é singular. É Leah. Embaixo da foto, vejo as letras limpas do título: "LIFE IN DISGUISE", e a assinatura de Leah com um coração sobre o "a".

É verdade.

As palavras de Tom ecoam na minha cabeça: *Faça alguma coisa que ama*. Fotografia é minha paixão. Posso ir atrás desse sonho.

Pego o celular e respondo para Leah com uma sequência enorme de emoticons que mal começam a descrever a combinação de euforia, orgulho e encantamento que me domina.

Mando a mensagem, e meu celular vibra imediatamente.

Mas não é Leah. Nem Elliot.

É Alex.

Penny, a gente pode se ver?

49

Alex e eu nos encontramos na manhã seguinte na Flour Pot, uma padaria na Brighton Lanes. Entendo a escolha de Alex: o lugar é perfeito para
uma conversa discreta e tranquila. Estou ansiosa. Não sei por que Alex
quer conversar comigo. Engulo os outros sentimentos, os que me acu-
sam de estar traindo Elliot por ter vindo encontrar Alex sem contar nada
para ele. Mas Alex me fez outro pedido: manter a mensagem e o encontro em segredo até ouvir o que ele tem a dizer.

Sinto vontade de dizer a Alex onde ele pode enfiar o pedido de sigi-
lo, depois de ver como ele magoou Elliot, mas estou intrigada. Alex se
tornou meu amigo no último ano, um bom amigo, e merece pelo menos a chance de ser ouvido. Não preciso gostar do que ele vai dizer, mas
ele tem o direito de falar.

Entro na padaria e o vejo. Está sentado a uma mesa no fundo, tomando um cappuccino.

Preciso recorrer a todo o meu autocontrole para não deixar a surpresa transparecer no meu rosto. Alex é o tipo de pessoa que se preocupa
muito com a aparência. Elliot dizia que ele era "mauricinho chique", embora a descrição não combine com o trabalho de Alex na loja vintage.
Hoje, porém, tenho a sensação de estar olhando para um desconhecido. Ele parece desamparado, e seus olhos estão vazios e tristes. Juro que
vejo furos nas mangas do moletom com capuz. O cabelo não foi lavado

nos últimos dias, e o rosto parece mais magro. Eu me identifico imediatamente com ele. Também não cuidei bem de mim na última semana, e, por mais que eu ame Elliot, por mais que ele seja meu número um, percebo que Alex também está sentindo o golpe.

— Obrigado por ter vindo, Penny — ele diz, puxando a mochila para eu poder me sentar.

— Tudo bem. — Depois que me acomodo, o silêncio é desconfortável. — E aí? As coisas andam meio... difíceis, não?

— Difícil é pouco. — Ele suspira exageradamente e bebe um gole do cappuccino.

Decido ir direto ao ponto. Sei que Alex quer falar sobre alguma coisa, e não pretendo ficar dando voltas.

— Então, sobre o que você quer falar comigo?

Olho para ele e sorrio, esperando que ele perceba que pode se abrir.

— Eu estraguei tudo, Penny. Nós dois sabemos disso. O Elliot é tudo pra mim, e joguei tudo fora por medo de lidar com as minhas emoções e por me importar demais com o que os outros pensam. Esse relacionamento não foi fácil pra mim. O Elliot foi o único cara da minha vida. — Alex mexe a espuma do cappuccino com a colher. — Depois que a gente terminou, eu finalmente contei pros meus amigos e minha família que sou gay.

Paro de respirar por um segundo.

— Sério? Eu sei como isso deve ter sido difícil. E aí?

Ele sorri com tristeza e dá de ombros.

— Não sei do que eu tinha tanto medo. Todo mundo me apoiou e ficou feliz por mim. Descobri que a pessoa de quem eu me escondia, no fim, era eu mesmo.

— Uau, Alex. Estou orgulhosa de você. Isso é muito legal — falo com sinceridade. Alex deu um grande passo.

— É, mas agora a única pessoa pra quem eu quero contar tudo isso não quer me ouvir. Tenho tentado entrar em contato com o Elliot, mas ele não atende minhas ligações, não responde minhas mensagens nem meus e-mails... — Ele apoia o queixo na mão e olha para mim, o rosto cheio de esperança e aflição.

Sinto pena dele. Elliot é o tipo de pessoa tudo ou nada. Ele se apaixona perdidamente e se joga de cabeça, mas também é capaz de se afastar de alguém sem nenhuma piedade. Simplesmente ergue uma fortaleza em torno de seus sentimentos, muralhas mais impenetráveis que Gibraltar.

— O Elliot precisa de um tempo pra degelar... como a Elsa, de *Frozen*. — Sorrio, mas Alex não sorri de volta. Não é um bom momento para fazer referências a *Frozen*. — Eu só quis dizer que não vai ser fácil convencê-lo a voltar atrás. O Elliot é muito teimoso.

— Você acha que eu não sei disso?

— Eu sei que ele gosta de você, Alex. Nunca vi o Elliot tão feliz como quando vocês estavam juntos. É sério.

Ele se recosta na cadeira.

— O que eu tenho que fazer pra ele me ouvir? Se o Elliot não responde as mensagens e não atende quando eu ligo, o que mais eu posso fazer? Não quero aparecer do nada na casa dele, porque eu sei que ele vai bater a porta na minha cara. — O suspiro de Alex é dramático, quase tanto quanto os de Elliot. — Eu preciso fazer alguma coisa pra chamar a atenção dele.

— Alguma coisa grande. Um gesto grandioso.

— Alguma coisa *épica*. — Alex segura minha mão sobre a mesa. — Por isso eu quis te encontrar, Penny. Você me ajuda? Eu preciso de você pra ter alguma esperança de sucesso. Você é a melhor amiga dele e conhece o Elliot melhor do que ninguém.

É evidente que Alex está sinceramente arrependido, e sei que Elliot ainda não superou o fim do relacionamento. Sim, eu vou ajudar.

— E se eu convidar o Elliot para um "dia de isca"? Ele vai pensar que vamos fazer alguma coisa juntos, mas você vai ter uma surpresa pronta pra ele.

Alex endireita as costas e arregala os olhos. Sinto o otimismo crescendo dentro dele e, antes de ser arrastada por essa corrente de euforia, falo mais uma coisa:

— Seja qual for o plano, ele precisa saber que você está disposto a manter um relacionamento sério, assumir a relação de vocês e não se esconder.

— É claro. Eu quero ficar com ele. Quero mostrar pro mundo que eu sou apaixonado por Elliot Wentworth! — Alex fala alto, e os outros clientes olham para nós.

Dou risada.

— Guarde isso para a surpresa! Isso é tão romântico, mas agora você precisa pensar!

— Bom, já tenho algumas ideias...

Alex e eu passamos mais meia hora sentados, pensando em cada detalhe da surpresa para Elliot. Fico feliz por vê-lo motivado e decidido a reconquistar meu amigo. No fim da conversa, temos uma lista das coisas preferidas de Elliot, entre elas (mas não só):

- pôr do sol
- praia
- moda
- conhecimentos gerais
- coisas com brilho

— Tem que haver um jeito de juntar tudo isso — diz Alex. — Quanto antes a gente conseguir, melhor, porque não vou poder esperar muito mais. — Alex cobre minhas mãos com as dele. — Mesmo que... mesmo que ele não me queira mais, o que seria merecido, eu sei, quero que ele saiba o que fez por mim. Como ele me fez querer ser verdadeiro comigo mesmo.

Isto é amor verdadeiro: admitir que errou e se esforçar para consertar o erro. Mesmo que Elliot não queira voltar com Alex, pelo menos ele vai tentar. Se metade do que a gente planejou der certo, vai ser uma cena de cinema.

Não posso deixar de pensar em Noah.

Por que é que *ele* não quer reparar o erro?

50

Quando saio da padaria, vou direto para a Felizes para Sempre, a empresa de organização de casamentos da minha mãe, na Lanes. Preciso dos conselhos dela para planejar a surpresa para o Elliot.

Minha mãe é sempre a melhor pessoa a quem recorrer em situações como essa. Ela é uma especialista em grandes celebrações e planejamentos (daí o sucesso na empresa de organização de casamentos), mas também é ótima para coisas menores.

Meus pais são românticos incorrigíveis um com o outro. É comum meu pai chegar em casa com um buquê de flores, ou um cartão cheio de amor e elogios para minha mãe, ou, de vez em quando, fazer uma piada interna incompreensível para mim e Tom. Minha mãe sempre compra as coisas de que meu pai mais gosta quando vai à confeitaria ou à padaria, e prepara para ele banhos com espuma perfumada, coisa que ele esconde que adora.

Essas demonstrações exageradas de afeto me incomodavam, mas agora me derreto com elas. Espero que, seja quem for meu parceiro de vida, sempre tenhamos tempo para o romantismo, como acontece com meus pais. Eles são meu exemplo e meu objetivo de relacionamento.

Respiro fundo. Não vou à loja desde antes de viajar para Berlim, e estou meio nervosa. Paro por um instante para me controlar, depois entro.

Minha mãe está terminando de atender uma noiva. Tem retalhos de tule e pedaços de fios de pérolas por todos os lados, e a noiva sorri de orelha a orelha.

— Adorei todas as ideias, Dahlia! Não acredito que faltam só algumas semanas!

— O tempo voa... — Minha mãe me vê na porta e levanta as sobrancelhas, numa reação de surpresa. — Oi, Penny! Já conhece a srta. Young?

Estendo a mão.

— Não. É um prazer.

— Deve ser uma delícia trabalhar o tempo todo nesse ambiente cheio de amor e felicidade! — Ela ignora minha mão estendida e me beija no rosto, em ambas as faces. Estou acostumada com a euforia das noivas, elas são muito afetuosas. Antes que eu tenha tempo de me despedir, ela já foi embora.

— Penny, que bom que você veio! — Minha mãe me abraça.

Confesso: eu estava evitando a loja. Não deve ter nenhum lugar pior para quem acabou de terminar um relacionamento do que um paraíso das noivas. Todos aqueles símbolos e imagens de amor e felicidade... É, eu não precisava disso.

Mas estou surpresa. Não sinto vontade de vomitar enquanto estou aqui dentro. Talvez porque agora tenho uma missão: unir Alexiot.

— Como foi o café com o Alex? Ele está bem? Imagino que não. Ele passou na frente da loja no começo da semana e parecia muito deprimido. — Minha mãe começa a recolher metros e mais metros de tule. — Bem triste mesmo. Pode virar a placa na porta, meu bem? Se outra noiva entrar agora, não vamos ter tempo de almoçar. Deve estar por aqui, vamos ver... — Ela abre um armário e começa a procurar alguma coisa lá dentro.

Viro a placa na porta para "FECHADO PARA ALMOÇO" e sento em uma das poltronas.

— O Alex está bem. Quer dizer... não, não está. Ele está arrasado com o fim do namoro. Mas estou orgulhosa dele. Ele me falou que conversou com os pais e contou tudo.

— Sério, meu bem? Que notícia maravilhosa!

— Sim, é maravilhoso. E ele quer dividir esse momento com o Elliot, mas o Elliot não atende as ligações dele. Então o Alex decidiu que precisa fazer algo bem grande, um gesto grandioso, ou não vai ter a menor chance de reconquistar o Elliot. Por isso eu vim, pra perguntar se você pode ajudar, já que é uma mulher cheia de ideias, e a maioria delas é bem grande e... O que você está fazendo? — Minha mãe mergulha de cabeça em um cesto de sapatos e bolsas.

— Não acho minha carteira dourada em casa, acho que alguém a trouxe para cá. Você lembra? A que seu irmão me deu quando fiz quarenta e cinco anos? Deixei uma nota de dez libras dentro daquela carteira na última vez que a usei. — Praticamente de pernas para o ar, ela joga bolsas e sapatos para fora do cesto e continua sua busca frenética.

— Sei... — respondo, levantando uma sobrancelha enquanto a observo da minha poltrona perto da vitrine.

— Bom, eu *sou* a rainha dos gestos grandiosos, Penny. Você veio ao lugar certo. O que ele pretende, exatamente? AHÁ! ACHEI! — Minha mãe levanta com o cabelo castanho encaracolado jogado de um lado da cabeça e o rosto muito vermelho. Ela deixa a carteira dourada em cima do balcão e vem sentar ao meu lado.

— Não sei direito. Ele quer algo romântico. Está pensando em alguma coisa no píer, mas o Elliot não gosta muito de lá. Diz que só tem gente cafona. E duvido que ele queira o ruído das máquinas caça-níqueis como trilha sonora do grande momento do casal. Só não sei onde tem outra vista maravilhosa do mar ao pôr do sol. O Alex não tem muito dinheiro pra gastar...

Minha mãe aplaude uma vez e inspira de um jeito teatral.

— Eu conheço o lugar *perfeito*! O que acha do coreto? Planejei muitos casamentos e sessões de fotos lá, eu tenho o contato. Posso arrumar tudo para vocês. Além da vista para o mar, tem privacidade. O Alex pode escolher a trilha sonora! O Elliot vai adorar.

É por isso que minha mãe é a pessoa ideal para esse tipo de situação. Ela conhece todo mundo que importa para o planejamento de uma festa.

— Incrível! Podemos decorar o lugar e transformá-lo num cenário perfeito, digno do Pinterest! Vai ser maravilhoso. Obrigada, mãe. — Eu a abraço e beijo no rosto. — Você acha que dá pra organizar tudo para a próxima quinta-feira?

— É pouco tempo. Vamos ver o que dá para fazer. Mas já que está me pedindo um favor tão grande... será que posso pedir uma coisa em troca?

— Claro! Qualquer coisa!

— Vem me ajudar amanhã? A Jenny ainda está doente, e sábado é sempre o dia de maior movimento.

Hesito, mas só por um momento. Não estou me sentindo mal na loja.

— Claro, mãe. Tudo bem.

Ela sorri para mim.

— É tão bom te ver assim, Penny. Parece que você voltou ao normal. Seu pai e eu ficamos muito preocupados desde que... desde que você voltou de Paris. Você sabe que nós gostamos muito do Noah, mas também sabe que pode conversar com a gente sempre que quiser, certo? — Ela segura meu rosto e beija meu nariz.

— Sim, eu sei. Agora estou bem. Antes eu não estava, mas, se não era pra dar certo, não tem nada que eu possa fazer. Estava sendo muito difícil, e, se tinha toda essa dificuldade...

— Não era pra ser.

— Não era pra ser. Acho que eu só precisava de um pouco de espaço para entender o que eu realmente queria, sabe? — Apoio a cabeça em seu ombro, e ela me abraça.

— Você é uma jovem muito forte, Penny. Deve ter herdado isso de mim...

Nós duas rimos, e me sinto extremamente agradecida por ter a sorte de ter pais tão incríveis, que estão sempre ao meu lado, me apoiando em tudo.

Mando uma mensagem para Alex:

O que vc acha do coreto?!?!

Adorei a ideia!

Legal! Na próxima quinta?

Você é demais, P! x

A única peça que falta no quebra-cabeça é o pretexto que vou ter que arrumar para levar Elliot ao lugar certo, na hora certa.

Alex tem sido corajoso.

Agora é a minha vez.

— Mãe, você pode ir buscar o nosso almoço enquanto eu mando um e-mail? É importante.

— Claro! Vou comprar sanduíches na lanchonete. Baguete de calabresa com ovos mexidos, como sempre?

Assinto e começo a redigir um e-mail no celular.

```
De: Penny Porter
Para: Srta. Mills
Assunto: Exposição de Fotografia

Cara srta. Mills,

Obrigada pela mensagem sobre o Noah. Peço desculpas por não
ter respondido antes, mas tenho vivido em uma toca
ultimamente. Agora já estou bem melhor. Como vão as coisas
com a exposição no colégio? Será que é tarde demais para eu
participar? Estou tentando tomar algumas atitudes
corajosas, e acho que a exposição é um bom começo.

Grata,

Penny
```

Assim que mando o e-mail, abro o Twitter sem pensar muito no que estou fazendo. Vejo um retuíte de alguém que eu sigo. É sobre Noah, mas é uma alegria perceber que meu coração não para, como acontecia até ontem.

SERÁ QUE NOAH FLYNN ENCONTROU SUA GAROTA DE VERÃO?

O coração não para, mas ainda não consigo controlar os dedos. Clico no link, que me leva a um artigo em um site de fofocas chamado *Starry Eyes*. Vejo uma foto escura e com péssima resolução de Noah e Blake saindo de uma boate em algum lugar da Europa. Blake é fotografado naquela pose característica, com o punho erguido, e Noah está logo atrás. Seu rosto está meio escondido nas sombras, mas dá para ver que está sério, quase carrancudo. Tem duas garotas ao lado deles, as duas loiras. Uma delas parece segurar a mão de Noah, mas pode ser só o ângulo da foto.

É estranho não ver Noah feliz e cheio de energia, como eu imaginava que estaria. Ver as garotas não me deixa zangada, nem mesmo muito triste. A única coisa que sinto é um vazio.

O artigo diz:

Será que o astro em ascensão Noah Flynn vai encontrar outra rosa inglesa quando voltar a pisar em solo britânico? Confirmado recentemente entre as atrações do festival Park Party, que acontece em Londres no próximo fim de semana, Noah Flynn promete sacudir a capital inglesa. Mas será que as garotas de sorte que foram vistas com ele e seus companheiros de banda em Estocolmo estarão presentes? O *Starry Eyes* vai trazer todas as fofocas...

Decido acabar com a tortura e fecho a janela do navegador. Em seguida, abro o Pinterest e começo a pesquisar ideias para decorar o coreto. Vejo fotos de casamentos e noivados, mas nada me agrada. É tudo lindo, mas também genérico. Para dar certo com Elliot, tem que ser algo mais pessoal.

Meu telefone apita com uma notificação de e-mail. É a resposta da srta. Mills.

De: Srta. Mills
Para: Penny Porter
Assunto: RE: Exposição de Fotografia

Achei que você nunca ia perguntar!

É claro que você ainda pode incluir suas fotos na exposição. Vai ser uma honra. Deixe-as no colégio quando puder.

E eu estava falando sério, Penny: eu me orgulho de você.

Srta. Mills

Não acredito no que estou fazendo. Finalmente vou mostrar minhas fotos para o público.

51

Estou atolada até os joelhos em papel de parede com estampa de oncinha.

É meu primeiro dia de trabalho na Felizes para Sempre, como prometi à minha mãe, e esta é minha tarefa preferida: arrumar a vitrine. Tem duas grandes janelas panorâmicas, uma de cada lado da porta, e minha mãe sempre muda o tema para atrair clientes.

Na semana passada foi um tema subaquático, com um vestido azul de sereia, muitas conchas penduradas no teto, areia no chão e uma tiara enfeitada com pedras azuis e verdes.

Essa semana, o tema é safári: uma novidade para minha mãe. Ela é muito original! O vestido que escolhemos para compor a decoração é de renda, com uma estampa bem sutil de zebra no saiote. É bonito, mas não faz meu gênero.

Estou trocando uma concha enorme por um leopardo de pelúcia (que minha mãe comprou de um desses vendedores que saem com os produtos no porta-malas do carro e finalmente vai poder usar) quando Alex entra na loja.

— Penny... que diabo é isso? — Alex se assusta quando viro para cumprimentá-lo com o enorme leopardo embaixo do braço.

— Nem me pergunte. É para a decoração dessa semana, com o tema safári, e é claro que minha mãe tem um leopardo de pelúcia em tamanho natural.

Ele ri e segura minha mão para me ajudar a sair da vitrine.

— Só passei pra saber da surpresa para o Elliot. Tudo certo?

— Sim, tudo certo! Minha mãe reservou o coreto para quinta-feira à noite. Está tudo correndo perfeitamente.

— Ele não desconfia de nada, né? Você pode levar o Elliot até lá? Não sei... inventar alguma coisa? Está demorando mais para escurecer, e temos que dar um jeito de ele não ir pra casa cedo...

— Relaxa! Ele não desconfia de nada. Ele acha que vai à exposição de fotos pra me fazer companhia, e não vai sair de perto de mim. Vai ser a maior surpresa, ele nunca imaginou nada melhor. Posso levá-lo ao coreto às nove da noite. Estou tão animada! Isso pode trazer Alexiot de volta, e vou sentir que o mundo voltou ao normal.

— Espero que sim. Mas ainda existe uma chance de ele odiar tudo e nunca mais falar comigo.

Seguro a mão de Alex.

— Vamos fazer de tudo para que isso não aconteça.

— Penny, é que... eu acho que falta alguma coisa. Mas pra resolver esse problema, vou ter que pedir outro favor enorme, e sinto que já pedi demais.

— Não, pode falar. Não tem nada mais importante na sua vida neste momento, e eu quero ajudar em tudo que puder. A menos que você esteja pensando em me pedir para assaltar um banco e te dar o dinheiro pra comprar um diamante enorme...

— Não, não é nada disso! — Ele ri, meio encabulado.

Estou começando a ficar nervosa. O que Alex pode querer, o que pode ser tão constrangedor? Espero que ele não me peça para fotografar os dois pelados, ou alguma coisa desse tipo.

— Você sabe que "Elements" é a nossa música, minha e do Elliot. Eu só queria saber se posso tocar essa música no coreto. Sei como você se sente em relação ao Noah, e sei que isso pode provocar muitas emoções, então eu queria saber...

É um alívio enorme saber que não vou ter que ver Alex sem roupa.

— Tudo bem, claro. — Sorrio ao ver meu alívio refletido no rosto de Alex. Isso é muito importante para Elliot, eu sei... era a canção que estava tocando quando tirei aquela foto deles.

"Elements" é importante para muita gente. Já vi Noah tocar essa canção no palco muitas vezes, e vi o efeito que ela tem sobre a plateia. É a música perfeita para quem está apaixonado.

Suspiro, e é a vez de Alex tentar me confortar.

— E você, Penny? Nenhuma esperança com o Noah?

Dou de ombros.

— Não sei. Duvido muito. A gente nunca mais se falou desde que terminamos.

— Bom, você nunca vai saber se não tentar falar com ele. Mesmo que as coisas não deem certo, você precisa resolver essa história.

Ele tem razão, eu sei. Vou ter que falar com Noah em algum momento. Tentei não pensar nisso, mas ver Alex fazer todas essas coisas por Elliot está me afetando de um jeito muito intenso. Não estamos mais juntos, mas talvez possamos ser amigos.

Mas ele vai querer falar comigo? Está respeitando meu pedido, não me procurou nem uma vez. Talvez ele esteja ressentido por eu ter vindo embora. Ou ainda acredita que inventei tudo aquilo sobre Blake? São muitas perguntas sem resposta, e nem sei se quero encontrar essas respostas. Mas, se tenho alguma intenção de ser corajosa e tentar conversar com Noah, a hora é agora, antes de ele partir para a turnê mundial e eu perder a oportunidade... para sempre, talvez.

— Eu sei. Há pouco tempo descobri que ele vai passar por Londres. Posso tentar entrar em contato com ele, talvez a gente consiga se encontrar e esclarecer algumas coisas, pelo menos. Não temos que passar do amor ao ódio, certo?

Alex beija meu rosto.

— Você vai conseguir, Penny. Eu confio em você.

* * *

Estou no meu quarto. Meus dedos pairam sobre o teclado do celular, cuja tela mostra uma mensagem em branco. Por que não consigo encontrar as palavras? *Ah, oi, Noah. Lembra de mim? Aquela garota que te deixou em Paris durante a turnê. Aquela pra quem você escreveu uma música...*

Enterro a cabeça no travesseiro e solto um gemido frustrado. POR QUE É TÃO DIFÍCIL? Tenho muito medo de que as feridas, que começaram a cicatrizar recentemente, voltem a se abrir depois que eu mandar essa mensagem. E se o Noah reagir como o Elliot e não responder? Mas não posso ignorar isso para sempre. Se eu não tentar, nunca saberei. Noah foi — ainda é — muito especial para mim, e temos que conversar em algum momento. Não posso continuar adiando essa conversa.

> Noah, eu sei que já faz duas semanas, e tem sido difícil não entrar em contato. Eu soube que vc vai estar em Londres, a gente pode conversar? Talvez eu esteja pedindo demais, mas tenho que tentar. Podemos ser amigos?
> Penny x

Deixo o celular em cima do criado-mudo, já contando com a possibilidade de não receber uma resposta, mas a tela acende imediatamente. É ele.

> Tb quero falar com vc. Me encontra amanhã no festival, se puder. Eu reservo um ingresso pra vc... e mais um pra um amigo, assim vc não precisa ir sozinha. Saudade. N

Meu coração para de bater por um segundo no fim da mensagem. *Saudade.* Noah estava esperando que eu tomasse a iniciativa? Todos os sentimentos por ele voltam, e sinto meu rosto esquentar.

Lembro como dançamos feito loucos no meio da plateia quando o The Sketch tocou; lembro os beijinhos na ponta do meu nariz, as noites em que ele me mandava mensagens do quarto para dizer que queria estar comigo, e como ele olhava para mim do palco enquanto cantava "Garota de Outono" para um estádio lotado. As lembranças maravilhosas que tenho tentado enterrar substituem rapidamente as outras, furiosas e frustradas, que têm me ajudado nas últimas semanas.

Tento afastar as boas lembranças, porque sei que, se deixar os sentimentos voltarem, vou acabar me apaixonando de novo por ele. E se Noah só quiser ser meu amigo? Estou imitando Elliot, querendo me fechar e nunca mais falar sobre essas emoções, mas isso só está me deixando mais confusa sobre o que realmente quero.

Tudo bem, eu vou. P x

Mando a mensagem. Fiz muitas coisas ridículas e tensas no último ano, mas, por alguma razão, pensar em falar com Noah outra vez me deixa mais nervosa que tudo.

52

Acordo de madrugada, e não acredito que estou fazendo isso de novo, perdendo horas de sono e impedindo minha mente de descansar.

Passei a noite toda muito nervosa. Não consigo me acalmar quando penso que hoje vou rever o Noah. Podem ter sido só duas semanas, mas parece uma vida inteira. Andei pelo quarto tantas vezes que meu pai já veio dar uma olhada e perguntar se está tudo bem.

Também roí as unhas, mas isso foi por outro motivo. Noah estava certo quando deu a entender que eu não conseguiria ir ao festival sozinha. O primeiro impulso foi convidar Elliot, é claro, mas ele já combinou um passeio histórico com os pais (eles estão tentando animá-lo). Além do mais, Elliot teria feito muitas perguntas sobre minha decisão de falar com Noah agora, e isso seria um risco — eu acabaria revelando Alex e a surpresa. Então, de certa forma, é melhor não convidar Elliot. Sinto que estou traindo a confiança do meu amigo, mas sei que é por uma boa causa.

Tento convidar Kira, mas ela vai ao festival com Amara. As duas compraram ingressos meses atrás, porque são superfãs da The Halo Pixies, uma banda sueca formada por garotas que cantam *a cappella*.

Fiquei mais tranquila quando soube que as gêmeas também iriam e tomei coragem para convidar Megan. As mensagens que ela me mandou desde que terminei com Noah foram fofas, e eu ainda quero entender o mistério que há por trás de VerdadeVerdadeira. Não recebi mais e-mails ou cartas desde que terminei com Noah, por isso acabei desistindo de procurar a polícia. Se eu passar o dia inteiro com Megan, talvez consiga me convencer de que ela não estava por trás daquelas ameaças horríveis.

Espero sinceramente que não tenha sido ela. Estou começando a sentir que a amizade que Megan e eu construímos durante a vida inteira pode ressurgir. Ela vai para a escola de artes cênicas em setembro, e sei que vou até sentir saudade. Não vou sentir falta dela terminando todas as minhas frases ou querendo ser o centro das atenções em todas as situações, mas de pequenas coisas, como encontrá-la depois do inglês para ir almoçar e de seu senso de humor sarcástico.

Agora ela está aqui, no meu quarto, sentada na cadeira da escrivaninha e olhando para mim com ar preocupado.

— Penny, eu sei que você já falou que está bem, mas acho que é mentira. Estou contando quantas vezes você já andou de um lado pro outro, e foram cinquenta e seis. É exercício demais pra um dia, principalmente para alguém que está estressada e ansiosa. — Ela olha para as unhas e examina o adesivo de margarida no polegar.

— Megan, tem certeza que essa roupa ficou boa? Não boa, mas BOA de verdade? — Paro na frente do espelho e fico na ponta dos pés.

— Se conseguir se comportar como uma pessoa normal, você vai estar ótima. Quer dizer, não é exatamente o que eu teria escolhido...

Vestido preto rodado com estampa de florzinhas vermelhas e ankle boot preta. Essa foi minha escolha, porque vamos a um festival! Meu cabelo está solto e meio bagunçado, e os óculos modelo aviador estão presos na cabeça.

— De onde veio toda essa maquiagem? É incrível! — Megan pega o pote de base NARS e uma paleta dourada de pó bronzeador.

São as coisas que Leah comprou para mim na Sephora.

— Ah... uma amiga me ajudou a escolher. Pra ser sincera, não sei como usar metade disso.

— Bom, se quiser doar uma parte pra alguém que mereça...

— Sei onde te encontrar — eu termino a frase.

253

Quando chega a hora de sairmos, pegamos um táxi e vamos direto para a estação de Brighton, onde encontramos Kira e Amara. Todas nós compramos vitaminas no Marks & Spencer, depois embarcamos no trem para Londres. Surpreendentemente, conseguimos lugares com mesa. É muito bom estar com elas de novo, como nos velhos tempos. É revigorante ter amigas com quem posso falar sobre qualquer coisa, discutir os garotos do colégio, os dramas do último ano e o que vamos fazer agora, quando começamos a trilhar território adulto.

— Você acha que o Blake vai estar lá? — Megan olha para mim do outro lado da mesa e faz uma careta estranha, como se piscasse.

— Hum... o baterista do Noah? — Só ouvir o nome dele já me dá arrepios.

— Sim, ele é uma delícia. Acho que tenho chance, principalmente se você me apresentar de novo. — Ela sorri no começo, depois dá risada.

— Ah, eu posso, claro, mas... ele não é legal, Meg. Tá mais pra bad boy.

— PENNY! Às vezes acho que você não me conhece. — Megan ri de novo, agora mais alto. — Você sabe que eu adoro um bad boy. Eles são muito mais interessantes. Você vai me apresentar de novo, né? — O tom de voz muda um pouco no fim da frase, e sinto que a velha Megan pode estar despertando dentro dela, como um demônio.

— Não, Megan, é sério. O Blake deu em cima de mim quando estávamos em Paris. Ele tentou me beijar, mas eu consegui escapar e sair correndo.

Vejo a confusão no rosto de Megan... e minha insegurança sugere que ela não acredita que Blake tentaria agarrar alguém como eu. Mas Kira interfere.

— Sério, Penny? Que péssimo!

— Foi por isso que você e o Noah terminaram? — Megan pergunta.

— Mais ou menos...

— Não acredito que ele terminou com você e não chutou aquele parasita nojento que ele chama de amigo. — Ela entra em modo Mega-Bruxa enquanto fala do Blake, e eu me sinto grata. — Acho bom o Noah pedir desculpas hoje. Você é boa demais pra ele.

— É verdade — Amara opina. — Nenhum homem merece uma mulher que ele não defende!

Sei que estou ficando vermelha. Nunca me senti mais feliz por ter amigas como elas.

O sistema de som do vagão informa que estamos a minutos da estação em Londres.

— Não vejo a hora de chegar lá! — diz Kira. — Esse festival vai ser incrível. Que horas vamos voltar?

— Não sei — Amara responde —, mas a The Halo Pixies só toca às cinco.

— Acho que eu não vou ficar até o fim, meninas. Depois que eu encontrar o Noah e conversar com ele, acho que vou embora. — Vejo o mundo passar do outro lado da janela do trem. Sei que a conversa com Noah vai me deixar exausta. — Não vou aguentar o festival por muito tempo. Não gosto de multidões, lembram? A gente pode se encontrar pra se despedir às três, depois que eu conversar com o Noah? — Olho para o celular. Vou ter tempo de sobra para sair de lá antes de ele subir no palco.

— Combinado! — Kira decide com um sorriso largo. — Será que vai dar tempo de comermos uns waffles? Comi coisas incríveis na última vez que estive aqui.

— Ouvi dizer que tem um salão de beleza dentro do festival. Vamos arrumar o cabelo antes de encontrar os meninos? — Megan sugere.

Puxo meu cabelo, que não recebeu muitos cuidados desde que saí de Paris. Certamente não tem aquele brilho que a equipe de Leah conseguiu produzir. Mas não vou perder tempo me produzindo. Só quero encontrar Noah, resolver tudo e ir embora.

Meu telefona vibra. É uma mensagem.

> Os ingressos estão no portão leste, no seu nome. A gente se vê daqui a pouco. Vá pra área vip à esquerda do palco principal que o Larry te encontra lá. N

A calma que consegui manter durante toda a viagem de trem desaparece. Quando chegamos à estação Victoria, eu me preparo para ficar frente a frente com Noah mais uma vez.

53

Paramos na frente do portão leste do Hyde Park e esperamos na fila para pegar meu ingresso e o de Megan. Felizmente, eles estão na bilheteria, como Noah disse que estariam.

Quando passamos pelos portões do parque, fico impressionada com o tamanho e a quantidade de gente. Kira e Amara me colocam entre elas, fazendo um sanduíche de Penny para me proteger da multidão, e eu me sinto grata.

Ouço a música no palco, que ainda está muito longe de nós. Vejo os food trucks e as barraquinhas vendendo camisetas das bandas e faixas de cabeça dos dois lados da alameda que se estende até o palco principal. É tudo muito caótico e frenético, o tipo de atmosfera que não me agrada nem um pouco. Queria ter marcado esse encontro com Noah em outro lugar, fora do festival. Por que não fui conversar com ele no hotel? Ou no aeroporto? Ou em qualquer lugar longe daqui?

Quando nos aproximamos do palco principal, Amara e Kira vão para o salão de beleza, mas Megan fica ao meu lado.

— Você sabe aonde tem que ir? — ela me pergunta.

Pego o celular.

— O Noah disse que é na área vip, à esquerda do palco. O Larry vai buscar a gente lá.

Megan mexe na trança e verifica se todas as mechas estão no lugar.

— Quem é Larry? Outro membro da banda? — Ela pega o brilho labial pink dentro da bolsa e retoca os lábios pela milésima vez.

Dou risada.

— Não. *Aquele* é o Larry. — Aponto a figura corpulenta que caminha em nossa direção. Ele atravessa a multidão como se a careca fosse a proa de um navio cortando as ondas. Quando me vê, Larry sorri, um sorriso tão radiante quanto o meu.

Megan para, mas eu corro para Larry e o abraço.

— Penny! Que bom te ver.

— Que bom te ver também, Larry. Essa é minha amiga Megan. — Aponto para ela, que fica completamente estática. — O Larry é segurança do Noah.

— Ainda bem que te encontrei logo no meio dessa gente maluca. Vem, tenho instruções para não deixar você se perder.

Com Larry como guia, eu me sinto muito mais segura. Ele nos leva para o outro lado de uma cerca, onde tem um homem sentado em uma cadeira. É uma entrada discreta para a área dos bastidores, mas colocar uma placa anunciando a entrada dos músicos seria pedir para ter problemas.

Quando passamos pelo portão, Larry entrega nossas credenciais para o camarim, e Megan sorri ao ver a dela.

— Você vai ficar bem se eu te deixar aqui um tempinho, Megan, enquanto vou conversar com o Noah? — A pergunta é idiota, porque ela se afasta antes mesmo de eu terminar.

— O Noah vai estar livre em cinco minutos — Larry me avisa.

Respiro fundo.

— Tudo bem, Penny? — Ele olha para mim com uma expressão preocupada.

— Tudo bem, Larry — respondo, tentando parecer mais corajosa do que me sinto. — Só preciso acabar logo com isso.

Ele assente.

— Fico feliz por ter um minuto para conversar com você. Isto é seu? — Ele tira um objeto do bolso, e eu o reconheço imediatamente: meu celular. Ainda com a capinha pink, ainda com o desenho que Noah fez com a caneta marcadora.

— Meu Deus, onde você encontrou isso? — Seguro o celular e o viro entre as mãos, estudando o aparelho como se fosse um objeto desconhecido.

— No quarto do Dean.

— No quarto...? Por que o Dean ficaria com o meu celular?

Larry move a cabeça para cima e para baixo. Nunca vi seu rosto tão sério, e ele nunca teve mais cara de guarda-costas. Esse não é o Larry feliz e engraçado com quem me acostumei.

— Você acha que alguém pode ter deixado o telefone lá? Uma... fã maluca, talvez? Minhas fotos foram roubadas deste celular. E foram usadas pra me ameaçar e ameaçar meus amigos.

— Eu sei, Penny. E acho que o Dean esteve com o celular esse tempo todo.

— Ah. — Bom, se isso é verdade, então...

Não tenho tempo para pensar nisso, porque Noah grita meu nome. Quero começar falando sobre minha teoria envolvendo o celular perdido, mas, na última vez em que o vi, tudo que fiz foi acusar e discutir. Sei que agora preciso escutar, antes de falar. Guardo o celular na bolsa sabendo que vou voltar ao assunto mais tarde.

Meu coração está batendo muito depressa. É isso: tudo que imaginei e construí na minha cabeça agora vai acontecer na vida real. Tenho que manter a calma e me controlar.

Noah se aproxima de nós, e quero correr para ele como fiz com Larry, me jogar em seus braços, mas meus pés estão colados no chão. Os dele também, porque ele para um pouco antes de nos alcançar.

— Bom, vou deixar vocês conversarem — Larry avisa. — Mas, Penny, quando a conversa acabar, me procura. Vou mandar você pra casa em segurança.

— Obrigada, Larry. Você é demais — respondo.

Noah sorri para mim, mas é um sorriso hesitante.

— Oi. A gente pode conversar em um lugar mais tranquilo? Não tem ninguém no ônibus da turnê, podemos ir pra lá.

Concordo com um aceno de cabeça. Noah parece uma versão mais apagada dele mesmo. Está sorrindo, mas sinto que não tem muita vida por trás de seus olhos, normalmente brilhantes e atentos. Caminhamos para o ônibus num silêncio estranho e desconfortável. Não gosto disso. Não gosto de perceber que não conseguimos conversar. Isso não tem a ver com a gente. Espero que o clima mude quando entrarmos no ônibus.

Noah me pede para sentar no sofá, o mesmo lugar em que sentei com Blake no início da turnê. Ele senta ao meu lado e apoia as mãos abertas na mesinha de centro. Olha pela janela, para o festival lá fora.

E sorri.

— Então...

— Então... — Sorrio de volta. — Como você está?

Ele balança a cabeça.

— Não consigo ficar nesse papo superficial. Preciso ir direto ao ponto.

Eu assinto.

— Então, minha primeira pergunta é: Por que você foi embora daquele jeito? Por que não se despediu de mim?

Sinto a garganta apertada quando me dou conta de que a conversa ficou séria rapidamente. Amaldiçoo a objetividade americana, mas foi isso que eu vim buscar, afinal.

— Porque seria difícil demais dizer adeus cara a cara. Quando estou com você, é difícil ficar brava, frustrada ou triste. Achei que nossa história tinha acabado. Você me acusou de mentir sobre o Blake, Noah, e isso foi muito sério. Saber que você acreditava que eu poderia inventar uma história como aquela só pra chamar sua atenção... Eu fiquei muito mal.

Olho para ele, mas não consigo encará-lo diretamente. *Segura a onda, Penny. Segura a onda.*

— Você tem razão, Penny. Eu errei. Eu devia ter conversado direito com você, e devia ter ouvido o que você tinha a dizer. Em parte, foi por isso que eu pedi pra você vir até aqui. E pedi pra mais uma pessoa participar dessa conversa. — Ele olha por cima do meu ombro e acena com a cabeça para alguém que está atrás de mim. Viro para trás e prendo a respiração por um instante quando vejo Blake parado no alto da escada do ônibus.

260

— Oi, Penny — ele diz, e percebo que sua voz perdeu um pouco do tom sarcástico.

— Ah, hum... oi, Blake. — Cruzo os braços.

— Escuta, quando o Noah disse que você viria, eu pedi pra falar com você. Queria me desculpar por aquela noite em Paris. Sei que eu errei, e sei que o que eu vou falar não vai mudar o que fiz, nem vai fazer nenhuma diferença pra você, mas é sério: eu estava bêbado e perdi a linha.

— Blake...

— Espera... Não é só isso. Mais tarde, eu entrei em pânico. Eu sabia que tinha errado, mas não queria que o Noah me tirasse da turnê. Não queria perder o emprego nem o amigo, então falei que você tinha dado em cima de mim. Achei que vocês iam se acertar, e... Bom, eu não estava raciocinando direito.

Eu perco a fala, e minha garganta parece adormecida.

— Isso é sério?

— Eu sei, foi uma idiotice.

Nunca confiei em Blake, mas dessa vez sinto que ele está falando a verdade. Mesmo assim, não dá para perdoar tão fácil.

Noah olha para mim.

— Ele me contou a verdade em Estocolmo, quando ficou bêbado de novo. Eu fiquei furioso... Mas depois, quando o Blake ficou sóbrio, a gente conversou muito. Ele sabe que tem um problema. Por isso, ele vai pra casa se cuidar.

— É verdade — Blake confirma. — Não vou seguir com a banda na turnê mundial. Essa vida não me faz bem.

Blake me encara por alguns momentos, e seu olhar é suplicante. Sei que ele quer um sinal de que aceitei seu pedido de desculpas, mas não posso ajudá-lo. Engulo com dificuldade, antes de responder:

— Uau. Bom, espero que você encontre a ajuda de que precisa.

Ele assente.

— Sei que vai ser difícil vocês me perdoarem, mas... quem sabe um dia?

Ele parece ter esperança, mas no fundo sei que isso ainda não é suficiente. A dor ainda é muito forte.

— Sinceramente, não sei. O que você fez me machucou muito, Blake. Mas achei legal você pedir desculpa.

— Agora que você já disse o que tinha pra dizer, pode ir — Noah fala com a voz dura, fria.

— A gente se vê — Blake se despede.

Quando ele sai do ônibus, olho para Noah outra vez.

— Eu... não esperava nada disso. Obrigada. — Sinto muito por ele. Sei que Noah vai sentir falta do melhor amigo, apesar do que ele fez, e espero que Blake realmente procure ajuda e consiga recuperar os relacionamentos que estragou.

— Agora é a minha vez. Quando o Blake me contou tudo isso, eu quis te procurar imediatamente.

— Por que não procurou? — Olho nos olhos dele e sinto um baque forte no peito.

— Porque você pediu pra não te procurar... e eu sabia que tinha mais coisas, além do Blake. — Noah afasta o cabelo castanho do rosto e apoia a cabeça nas mãos. — Eu não queria que você ficasse ainda mais brava, não queria piorar a situação. No minuto em que você me mandou aquela mensagem, eu respondi. Foi muito difícil não ir atrás de você, mas eu queria respeitar a sua vontade. Eu odiei a turnê sem você.

As palavras de Noah são como música para mim. Todas as perguntas que martelavam minha cabeça — se ele sentia minha falta, se acreditava em mim, se não me procurou porque me odiava — agora têm resposta. Sinto a tranquilidade e a segurança me invadirem.

— Obrigada por respeitar a minha vontade, mas, mesmo assim, doeu não ter notícias suas. Acho que eu esperava que você tentasse, pelo menos. Mas, no fim, eu não estava pronta. Não até agora.

— Você acha que... ainda podemos fazer dar certo?

Noah olha para mim, e meu coração clama por ele. Mas a cabeça ainda está no comando.

— Não sei, Noah. O que aconteceu com o Blake foi a gota-d'água, mas tem outras coisas. Eu também acho que não sirvo pra essa vida na estrada. Ainda tenho que descobrir o que quero fazer da *minha* vida, e não vou conseguir me encontrar se estiver só acompanhando o seu sonho. — Acho que nunca falei nada mais difícil, mas estou sentindo um alívio enorme.

Ele suspira

— Você é a melhor coisa que me aconteceu, Penny. Mas a música é a minha paixão, a minha vida. Não quero ter que escolher entre você e ela.

Seguro a mão dele.

— Você não tem que escolher, jamais. Eu vi você no palco, Noah... aquele é o seu mundo. Você não deve desistir disso nunca. Mas precisa me dar um tempo. Um tempo para... entender quem eu sou.

A pausa parece ser eterna, mas ele não solta minha mão.

— Vou sentir sua falta, Penny. Todos os dias.

— Eu também — respondo.

Ele beija meus dedos. Preciso fazer um esforço enorme para não me jogar em seus braços e dizer que podemos ficar juntos, aconteça o que acontecer. Mas sei que não me sentiria feliz se acompanhasse a turnê, sei que Noah precisa de tempo para cimentar seu sucesso, e eu, para decidir sobre a minha vida.

— O que fez você mudar de ideia? — ele pergunta.

— Como assim?

— Por que você me procurou agora? Porque soube que eu viria pra cá? Eu teria vindo de qualquer lugar do mundo pra te ver... Você devia saber disso.

Balanço a cabeça.

— Não, não foi isso. Foi o Alex. Eu não contei, mas o Elliot e o Alex também terminaram.

— Não! Está brincando? Os dois eram perfeitos!

— Era o que eu pensava. Mas a mensagem do VerdadeVerdadeira mexeu muito com o Alex, e ele fugiu do relacionamento. Mas agora ele contou a verdade pra família inteira, foi tudo ótimo, e ele quer dividir esse momento com o Elliot e retomar o namoro. Planejamos uma surpresa para a noite de quinta-feira no coreto de Brighton. Vamos tocar uma música sua. Você sabe que eles adoram "Elements".

263

Noah afaga minha mão, e sinto uma fagulha de eletricidade entre nós. Mas, antes que ela possa virar uma corrente elétrica, ele levanta do sofá.

— Eu tenho que ir, Penny. Está na hora da minha apresentação. Mas pode ficar aqui, se não quiser ir embora... Eu ia adorar te ver de novo depois do show.

Balanço a cabeça.

— Também tenho que ir. Minhas amigas estão esperando.

— Então a gente se despede aqui?

— É... acho que sim.

Nós nos abraçamos como devíamos ter feito em Paris. Os braços dele me envolvem, e eu enlaço sua cintura e encosto o rosto em seu pescoço, respirando seu cheiro. O abraço dura mais do que deveria, porque nenhum de nós quer se afastar. Mas ele se afasta. Por um momento, nossos lábios se aproximam tanto que, se um de nós fizer um pequeno movimento, podemos nos beijar e esquecer esse rompimento.

Em vez disso, a gente se afasta ainda mais, e eu o vejo descer a escada e sair pela porta do ônibus.

264

54

Não consigo sair imediatamente, por isso aceito a sugestão de Noah e fico sentada dentro do ônibus por um tempo, olhando tudo à minha volta. Preciso absorver tudo isso, porque, provavelmente, é a última vez que vou viver essa experiência.

O cheiro de loção pós-barba dos garotos paira no ar, e tem uma fileira de pequenos adesivos de maçã colados embaixo de uma das janelas, lembranças da equipe faminta. Jogos de Xbox cobrem a mesa à minha frente e me fazem lembrar do Blake, mas é bom perceber que o desgosto que antes acompanhava cada lembrança dele perdeu força. Olho para o fundo do ônibus, além das fileiras de garrafas vazias de cerveja e do mosaico que alguém começou a montar com as tampas, e vejo o moletom velho do Noah. Está pendurado em um gancho, os cordões brancos desfiados e meio encardidos. É o mesmo moletom com que ele me agasalhou quando fizemos o piquenique no topo do Waldorf Astoria, em dezembro. O mesmo que deixou para mim na cesta do conforto em Roma.

De repente me lembro da sensação, de como foi quando ele me vestiu com aquele moletom e me aqueceu. Eu me senti protegida, segura, e não me sentia assim há muito tempo — desde o acidente de carro que provocou minha primeira crise de ansiedade. Pego a blusa e a aperto contra o peito, respirando o perfume fraco de Noah no tecido.

265

Não sei se estou feliz ou triste. Só consigo pensar em como queria que ele me agasalhasse outra vez com o mesmo moletom, segurasse minha mão e me dissesse que vai ficar tudo bem, que a turnê mundial foi cancelada e que ele vai passar o resto da vida comigo em Brighton, onde vamos levar nosso cachorro para passear na praia em uma quarta-feira e fazer ioga juntos no gramado todas as manhãs.

Mas isso é só um sonho.

Enquanto minhas emoções brigam entre si, percebo que ficar sozinha no ônibus da turnê, cheirando o moletom do Noah, pode parecer bem bizarro, se alguém entrar de repente. Então, eu o devolvo ao cabide e me dirijo até a porta. Paro quando ouço vozes do lado de fora. Uma delas é muito alta e autoritária. Dean.

Ando na ponta dos pés e olho para fora, do alto da escada. Dean está apoiado na porta, conversando com dois homens de blazer e calça de sarja colorida, com crachás pendurados no pescoço. Uma voz igualmente alta ecoa em minha cabeça me avisando que ouvir conversas escondida não é uma boa ideia, principalmente porque, na última vez em que fiz isso, acabei chorando muito. Mas Dean menciona meu nome, e a opção de não ouvir simplesmente desaparece.

— O Noah e a Penny terminaram. Acabou. E estou dizendo que Ella Parish seria excelente para a carreira dele. Ela está em alta, é linda... Os dois causariam um frenesi na mídia.

Se alguém me fotografasse neste momento, tenho certeza de que eu veria na foto a imagem de um daqueles personagens de desenho animado, com fumaça saindo pelas orelhas e o nariz e o rosto vermelhos.

— Se é isso o que o Noah quer, podemos promover um encontro com a Ella, é claro. Pode falar com a Lorraine o mais depressa possível, Collin? — um dos homens pergunta ao outro. Depois sorri para Dean. Tenho que fazer um esforço enorme para manter a calma e não sair do ônibus chutando e gritando contra esse plano horrível.

— Ótimo, tudo certo, então. — Dean estende a mão, e o outro homem a aperta. — Podemos arranjar uns paparazzi na Austrália. Quem sabe os dois na praia, de mãos dadas?

Não suporto ouvir mais nada. Mais um relacionamento encenado? E Dean acha que isso é uma boa ideia? Noah não pode ter concordado com isso. Não depois do que aconteceu com Leah.

Lembro do telefone na minha bolsa, e a raiva ferve dentro de mim. Tudo começa a se encaixar. Dean foi responsável por tudo que aconteceu? Noah foi informado de que o empresário de Leah Brown havia insistido no relacionamento falso, mas, pensando bem, o que ela teria a ganhar com aquilo? Era Noah quem precisava da exposição. Era a carreira dele que precisava deslanchar. E quem toma todas as decisões sobre a carreira do Noah? Dean.

A conversa termina, e ouço passos se aproximando do ônibus. Meu coração dispara, olho em volta procurando um lugar para me esconder, mas é tarde demais. Dean entra no ônibus com um sorriso radiante.

O sorriso desaparece, e ele leva a mão ao peito e fala um palavrão quando me vê lá dentro.

— Penny, o que você está fazendo aqui? Quase me matou de susto! — Uma risadinha fraca. Ficamos nos encarando até ele perceber que não sorrio de volta.

Vejo a compreensão modificar sua expressão e apagar a cor em seu rosto. A raiva dentro de mim é como a lava de um vulcão, mas é a voz calma de Mar Forte que ecoa dentro do ônibus.

— Você sempre foi tão babaca assim, Dean?

— Então você ouviu o que eu disse lá fora. Você não vai estragar tudo para o Noah, vai, Penny?

— *Eu*, estragar tudo? Parece que você tem se encarregado disso, e com uma competência impressionante! O que você acha que está fazendo? Você quer que o Noah tenha sucesso porque é talentoso, ou quer estragar tudo que ele tem fora da música inventando relacionamentos falsos e destruindo os verdadeiros?

De repente me sinto a pessoa mais poderosa do planeta. Eu me sinto forte, confiante e controlada. Falo em voz alta, com tom firme e claro, e encaro Dean, cujo rosto se contorce enquanto a confiança murcha. Ele resmunga alguma coisa que eu não escuto, por isso levanto uma sobrancelha esperando que ele repita.

267

— Não sei do que você está falando... sua maluca. Acho que você precisa ir pra casa, vai correndo para a mamãe e o papai. — Ele dá de ombros e tenta passar por mim para ir fazer o que o trouxe ao ônibus.

Mudo de lugar e paro na frente dele. Ele olha para mim e, de repente, seu rosto muda. Dean não parece mais amedrontado e fraco; agora ele está furioso. Mantenho a atitude confiante e continuo olhando para ele, mas, por dentro, estou apavorada.

— Sai da minha frente, Penny.

— Não antes de você responder às minhas perguntas. — Enfio a mão na bolsa e pego meu antigo telefone. — Estava com você o tempo todo, não estava? O Larry me devolveu... depois de achar o aparelho no seu quarto.

— E daí?

Engulo em seco, tentando me controlar.

— Você é VerdadeVerdadeira? — Minha voz agora treme. Ele ri, e tenho a impressão de que vai negar, mas não. Dean começa a bater palmas.

— Você sacou tudo. Alguém entregou o seu celular para a equipe de segurança e ele chegou às minhas mãos. Pensei que todos os meus pedidos de Natal tinham sido atendidos de uma vez só. Achei que duas ou três mensagens seriam suficientes pra te assustar e te mandar pra casa, mas reconheço: você é mais corajosa do que eu imaginava.

Tudo fica quieto e confuso na minha cabeça; não consigo entender.

— Mas... por quê? Por que você foi até a minha casa e convenceu meus pais a me deixarem viajar com a turnê, se não me queria por perto? Por que não impediu?

— E fazer o Noah te querer ainda mais? Fala sério, Penny. — Ele revira os olhos. — Do meu jeito, eu consegui *provar* pra ele que você não serve para essa vida. Já basta quando ele ficou todo rebelde no Natal. Achei que essa turnê nem ia acontecer, pensei que todo o nosso trabalho ia pelo ralo. Mas aí ele te conheceu, a doce, adorável e *normal* Penny Porter. Por um tempo, foi bom para a história do Noah. Fez as garotas suspirarem por ele. Mas a sua participação acabou. — Ele passa por mim, senta no sofá e se inclina para abrir o frigobar. Abre uma cerveja, se recosta

268

e sorri, confiante. Olho para ele, mas vou me aproximando lentamente da porta.

— E você achou que a melhor solução era me chantagear? — Faço um esforço para controlar minha raiva. — Quantos anos você tem, doze? Você não vê o Noah, vê cifrões. E por que envolveu meus amigos nisso? Eles não tinham nada a ver com a minha história com o Noah.

Dean bebe um gole de cerveja, estala os lábios e sorri como o Coringa do *Batman*.

— Eu fiz você ir embora, não fiz? Mensagens e e-mails não funcionaram, então decidi ocupar o Noah com reuniões e compromissos, acabar com aquela bobagem de dia do mistério. E, mesmo com o Noah te tratando mal, você ficou! Mas tivemos aquela conversa no ônibus, e lembrei das fotos que havia baixado do seu celular. Finalmente encontrei um jeito de me livrar de você. Os amiguinhos ficaram deprimidos, e lá foi a Penny para casa ajudar todo mundo. Foi perfeito. Olha, você é um amor de menina, mas o que mais tem a oferecer? É uma criança. Vá brincar com as suas bonecas, ou... sei lá, fazer colarzinho de margaridas com as suas amigas no campo. Mas deixe o Noah fazer o que ele faz melhor: tocar, ganhar milhões e se tornar o superstar global que vai ser. Ele não precisa de você, dessa distração. Você não é boa para a imagem dele. Só estou fazendo o que um bom empresário tem que fazer. Encare os fatos: a única coisa boa que saiu dessa sua história com o Noah foi "Garota de Outono". E lamento, mas é aqui que o conto de fadas chega ao fim.

55

Tenho a impressão de que esqueci de respirar. A raiva vira um furacão dentro de mim, e só cresce enquanto vejo Dean ali, sorrindo e bebendo cerveja. Mas, antes que eu possa reagir, escuto um barulho atrás de mim e vejo Dean levantar do sofá, assustado. Quando pula, ele derruba a cerveja sobre a mesa.

— Então é isso que um bom empresário faz, Dean?

Viro e vejo Noah atrás de mim, com os olhos estreitos.

Ele passa por mim para se aproximar do empresário e, quando sinto sua mão tocando a parte inferior das minhas costas, sei que vai me defender.

— Noah, não sei o que você ouviu, mas... — Dean levanta as mãos abertas quando Noah se aproxima.

Meus pés estão colados no chão. Eu não poderia me mover nem que quisesse.

— Eu escutei tudo, Dean. A conversa inteira. Qual é o seu problema? Eu confiei em você! — Ele desvia o olhar e torce o nariz. — Não suporto nem olhar pra você. O jeito como você acabou de falar com a Penny me deu vontade de vomitar.

Noah olha para mim, depois para Dean novamente. Vejo os músculos de seus braços e da nuca flexionados, a respiração pesada. Acho que nunca o vi tão furioso, mas não é só raiva; é mágoa. Ele passou por muitas coisas, desde a morte dos pais a ter que ficar longe de Sadie Lee e Bella, e sempre confiou em Dean, sempre acreditou que ele faria o que fosse melhor para sua carreira.

— Noah, por favor, me deixa explicar.

Dean segura seu braço, mas Noah se solta com um gesto violento.

— Sai daqui. Não quero trabalhar com você nem ver a sua cara nunca mais. Você está demitido. — Agora Noah olha para o chão, e a cerveja que escorre de cima da mesa respinga na calça social e nos sapatos de couro brilhante do empresário.

Dean abre a boca para falar alguma coisa, mas não diz nada. Em vez disso, passa por Noah com passos furiosos e o desequilibra ligeiramente. Quando passa por mim, seu olhar é de ódio.

Noah e eu ficamos em silêncio, olhando pela janela, enquanto Dean deixa a área vip e se mistura à multidão do festival. De repente, ele não parece tão importante. É só um homem egoísta, sem nada a seu favor.

Noah continua parado, quieto. Eu me aproximo e seguro a mão dele. Sem dizer nada, ele aperta a minha. Ficamos assim por um momento, até ele desabar no sofá. É como ver um balão murchando, deixando sair todo o ar. Noah apoia a cabeça nas mãos, o cabelo entre os dedos.

— O que eu faço? Nunca tive outro empresário. Ele é uma pessoa horrível, mas organizou tudo isso. A turnê... tudo! — Ele olha em volta com ar preocupado, e dá para perceber que já imagina tudo desmoronando.

Sento ao lado dele e toco seu joelho, visível pelo rasgo da calça jeans.

— Não foi o Dean que fez tudo isso... foi você. O que ele fez foi tentar conduzir essa história na direção errada. Você precisa de um novo empresário, alguém que cuide dos seus interesses de verdade e pense no seu crescimento, como artista e como pessoa.

Noah olha para mim, sorri, e as covinhas aparecem como num toque de mágica.

— Você sempre sabe o que dizer, Penny. É muito sensata, sabia?

Meu estômago parece dar um pulinho quando os olhos dele encontram os meus. Como um ímã, sinto que estou completamente conectada

271

a ele. É como se a tensão que ainda restava depois de termos nos despedido tivesse sido levada por Dean e seus sapatos respingados de cerveja. De repente sinto um impulso de beijar Noah, mas me contenho. Em vez disso, penso em como posso ajudá-lo a sair dessa situação.

— A Leah me deu o telefone de uma pessoa da equipe dela. Disse que, se algum dia eu precisasse entrar em contato com ela com urgência, essa pessoa poderia me ajudar. Acho que o nome é Fenella. Não quer ligar pra ela? Se não puderem te representar, talvez possam indicar alguém, pelo menos.

Pego meu celular e mando o número para ele.

— Obrigado, Penny — diz Noah. — Não sei o que eu faria sem você. — Ele levanta. — Preciso entrar no palco! Só vim buscar os pôsteres que autografei para uma promoção. Tenho que ir. Já que você não quer me esperar, posso te ligar?

— Claro.

Vejo Noah sair correndo e fico feliz por ter, finalmente, resolvido as coisas da melhor maneira. Pego minha bolsa e vou encontrar Megan, sorrindo ao pensar em todas as confusões em que ela pode ter se metido.

56

A exposição de fotos no colégio está incrível.

O colégio reservou uma das lojas na Lanes para improvisar uma galeria. Com o sol entrando pelas janelas largas e refletindo nas paredes caiadas e nos ladrilhos azuis, parece que fomos transportados para uma ilha grega. Os trabalhos que fizemos para a avaliação final estão expostos nas paredes, presos a tábuas de madeira rústica, e o resultado é lindo.

Para minha surpresa, o lugar já está lotado quando chego. Tem até alguém servindo bebidas e canapés. Fiquei tão envolvida com a surpresa para Elliot que esqueci que essa também era a noite da exposição. Sempre fui contra a ideia de expor meu trabalho, porque achava que esse seria um gatilho para a minha ansiedade. No entanto, Leah me ajudou a acreditar que a fotografia poderia ser mais que um hobby para mim — poderia ser uma profissão de verdade, e isso me abriu os olhos. Mas não vai acontecer se eu não conseguir expor meu trabalho.

— Que orgulho de você, Pen. Isso é incrível! — Elliot e eu estamos lado a lado. Ele bebe suco de laranja com água com gás e mantém um braço sobre meus ombros. Sinto meu rosto corar enquanto ele analisa as fotos. Elliot sempre foi meu maior incentivador, e por isso eu o amo muito.

— Obrigada, Wiki. — Enlaço sua cintura e o aperto num abraço lateral, e ficamos ali olhando todas as minhas fotografias expostas ao lado de outras, feitas por colegas talentosos.

— Gostei especialmente dessa — **ele** comenta com uma piscadinha.

É claro! É uma foto dele. Sua silhueta em frente ao Royal Pavilion, em Brighton, os domos alaranjados recortados contra o céu no crepúsculo. Foi para uma série de fotos que chamei de "Local", sobre áreas de Brighton pelas quais tenho um carinho especial.

— Como vão as coisas com o Noah? Você falou com ele depois do fim de semana? — Elliot baixa a voz e me leva para um canto menos movimentado. — Desculpa não ter ido com você no festival, mas foi bom ter um tempo com os meus pais. Está aí uma frase que eu nunca imaginei que diria.

Balanço a cabeça.

— Não, não conversamos mais, mas trocamos mensagens. Ele está ocupado resolvendo a situação com o Dean. Não sei o que vai acontecer com a gente. Não ficou nenhum ressentimento, e nós dois estamos bem. Tenho um pouco de medo de tentar de novo e me machucar, e acabar virando uma daquelas namoradas malucas que enlouquecem de ciúme e passam o tempo todo vigiando o namorado famoso quando ele sai em turnê. Não sei se tenho equilíbrio pra isso. — Roo as unhas e suspiro.

— Entendo. A vida dele vai ficar ainda mais louca agora. Mas ele teve sorte de ter você, sabia? Não acredito que o stalker chantagista era o empresário!

— Pois é — respondo. Ainda estou perplexa com a revelação.

— Talvez seja como em um assassinato. A gente tem sempre que olhar primeiro para as pessoas mais próximas da vítima.

— Bom, ele agora está em boas mãos. — O empresário de Leah aceitou a proposta de Noah imediatamente. — Fico feliz por tudo ter se ajeitado pra ele.

— Não tem a ver só com ele, Penny. Sim, o Noah é um gato, toca violão como um deus e canta como um anjo, mas você também é muito especial... — ele levanta uma sobrancelha. — Desse seu jeitinho esquisito.

Rimos juntos, e vejo a srta. Mills se aproximando de nós. Hoje ela caprichou na aparência: prendeu o cabelo num coque bem chique e vestiu um pretinho básico maravilhoso. Sempre me espanto com como os professores parecem normais fora da escola. É fácil esquecer que eles têm vida fora dos corredores e das salas de aula.

— Penny, pensei que você não viria! As fotos não ficaram lindas? Estou muito orgulhosa dos meus alunos. E você deve ser o Elliot... ou prefere Wiki? — Ela estende a mão, e Elliot a aperta e se curva.

— É um prazer — diz, sorridente.

A srta. Mills dá risada, e Elliot se afasta para ir olhar os outros trabalhos expostos e seguir o rastro dos canapés de pizza, que desaparecem rapidamente.

— Como foi o verão? — pergunta a srta. Mills. — Não teve problemas com a ansiedade?

Imagino que muitos alunos ficariam constrangidos com um professor perguntando sobre sua ansiedade, sabendo tanto sobre sua vida pessoal, mas, quando a srta. Mills fala comigo desse jeito, como se fôssemos grandes amigas, eu me sinto à vontade.

— Acho que nunca tive um verão tão difícil, uma verdadeira montanha-russa de emoções! Mas agora me sinto mais eu do que nunca. Eu descobri muitas coisas sobre mim, talvez da pior maneira possível, mas não mudaria nada dessa experiência.

Ela sorri para mim de um jeito ao mesmo tempo afetuoso e solidário.

— Dizem que tudo acontece por um motivo.

— E pela primeira vez estou começando a pensar que isso pode ser verdade. Sei que a ansiedade faz parte da minha vida, e talvez com o tempo eu consiga mudar esse quadro, mas, por enquanto, quero viver a vida plenamente. Tenho ansiedade, mas isso não define quem eu sou.

— Essa é a melhor coisa que já ouvi você dizer, Penny. Quero que você tenha sucesso em tudo que fizer, e não quero que pense que alguma coisa a impede. Tem muita gente por aí que pode aprender com as coisas que você escreve, e até com as fotos que tira. — Ela aponta minha exposição e sorri.

— Talvez eu torne o blog público novamente... — As palavras saem da minha boca antes que eu pare para pensar nelas. Elliot deve viver desse jeito; ele sempre fala sem pensar.

Vejo o rosto da srta. Mills se transformar com o entusiasmo, e ela começa a pular no lugar e bater palmas. Tento acalmá-la para evitar que todo mundo olhe para nós, mas Elliot já notou e está se aproximando.

— O que foi? Também quero ouvir a boa notícia. — Ele para ao nosso lado e olha para nós duas, tentando ler nossa expressão.

— A Penny vai escrever de novo no blog. Para o público! — Ela bate palmas.

— Que notícia incrível, Pen! — Elliot diz e me abraça com força. — Aposto que os fãs do *Garota Online* sentiram falta dos posts.

Sorrio antes de olhar para o relógio e perceber que ainda falta uma hora para a surpresa do Elliot, e não vamos poder ficar aqui durante todo esse tempo, porque a festa está acabando.

— Sabe de uma coisa? Eu poderia escrever um post agora. Conheço um lugar que tem wi-fi grátis e fica aberto até tarde. *Além* de servir café e bolo.

— Sério?

— É! — confirmo. — O laptop está na minha bolsa. Eu pago uma fatia de bolo. Topa?

— Bom, você sabe que eu nunca recuso bolo! Vamos lá, escritora empolgada.

Nós nos despedimos da srta. Mills e vamos a um pequeno café na Lanes que serve bebidas deliciosas e bolo de cenoura com cobertura de cream cheese. Sentamos do lado de fora, porque a noite está quente, num banco embaixo de um toldo com luzinhas coloridas. Tiro o laptop da bolsa e começo a escrever um post em que tenho pensado há algum tempo.

Elliot dá uma olhada no celular enquanto eu digito. Ele suspira profundamente, e eu o encaro.

— Tudo bem, E?

— Ah, não se incomoda comigo. Estou babando nas fotos do Alex. Olha só... já viu coisa mais linda?

Ele vira o aparelho e me mostra uma fotografia do ex sentado sobre um tronco caído em New Forest. Alex sorri para a câmera, fitando Elliot com muito amor e carinho. É um olhar que conheço bem, porque Noah olhava para mim do mesmo jeito.

— Será que eu devia ligar pra ele? Você e o Noah conseguiram conversar, esclarecer tudo e continuar amigos. Talvez eu deva procurar o Alex. Sabe, eu ainda amo aquele cara, Penny.

— Ah, humm... você pode esperar eu terminar o post? A gente conversa daqui a pouco. Você precisa de toda a minha atenção para uma decisão como essa!

Elliot olha para mim com a testa franzida, mas concorda movendo a cabeça. Não pretendo dar a impressão de que não me importo com seus sentimentos, mas a última coisa que quero é estragar a surpresa de Alex. É bom ouvir Elliot falar desse jeito, agora tenho um bom pressentimento sobre esta noite.

— Por que você não lê pra mim o que está escrevendo? — Elliot deixa o celular em cima da mesa.

— Tudo bem, lá vai...

23 de julho

Um Novo Começo

Oi, Mundo!

Sinto como se estivesse escrevendo para um amigo que não vejo há muito tempo, alguém de quem sinto falta em minha vida.

Para ser franca, estou um pouco apreensiva sobre o que vou escrever, mas vamos lá.

Já faz um tempo que tenho publicado como **Garota Offline... nunca online**. Ainda estou escrevendo e postando aqui, mesmo sabendo que ninguém (exceto algumas poucas pessoas) poderia ler as minhas coisas.

Era como se eu tivesse perdido a voz, e o blog não era mais um lugar feliz para mim.

Agora isso vai mudar. Decidi que, de hoje em diante, não fico mais offline. É uma decisão importante, e muitas coisas tiveram de mudar na minha vida para eu perceber que isso não é só algo que eu quero fazer; é algo que eu *preciso* fazer.

O último post que puderam ler aqui dizia para vocês fazerem as escolhas certas quando postarem online, se concentrarem em ser gentis e em espalhar positividade.

Então, dessa vez, quero começar falando sobre não deixar a negatividade influenciar a vida de vocês.

Todo mundo tem uma vida, e todo mundo pode escolher como quer viver a sua. É importante perceber que, independentemente do que as pessoas digam ou de como tentem influenciar seu jeito de fazer as coisas, a decisão final é sua. Quer seja uma pessoa intimidando você, um troll na internet, uma figura de autoridade, pais, amigos ou sócios, seja quem for o opressor, só VOCÊ pode viver a sua vida. Não dá para viver à sombra de outra pessoa, ou tentar agradar alguém o tempo todo, porque, nesse caso, o que você teria de seu? Nada, nenhuma realização, nenhum objetivo pessoal alcançado; você estaria apenas realizando os anseios de outras pessoas. Se tem alguma coisa na vida que você realmente quer fazer, faça. Você só vai viver o dia de hoje uma vez, portanto comece agora.

Às vezes o herói do conto de fadas não é um lindo príncipe. Às vezes, o herói é você.

Garota Online... saindo do ar xx

* * *

Elliot aplaude, e eu publico o texto. É estranho e ao mesmo tempo maravilhoso publicar novamente no blog.

Atualizo a página algumas vezes para ver se chegaram comentários. Um dos primeiros é da Garota Pégaso.

PARABÉNS E TODOS OS ABRAÇOS E DANCINHAS ANIMADAS xxx

E é neste momento que sei que *Garota Online* está oficialmente de volta.

57

Chegou a hora de levar Elliot ao coreto. Estou ansiosa e animada por ele, mas também me sinto nervosa por Alex. Ele já me mandou uma mensagem.

> Tudo pronto :) QUE NERVOSO, PENNY! E SE
> DER TUDO ERRADO? A x

Respondo depressa:

> Alex, ele estava falando de vc agora mesmo.
> Não vai dar errado. P x

A resposta de Alex, que deve estar mais nervoso e agitado do que nunca, é imediata:

> AI, MEU DEUS. QUE PRESSÃO!
> Te vejo em breve x

Guardo o celular na bolsa antes que Elliot pergunte quem está me mandando mensagens, depois levanto.

— Vem, Elliot, tenho uma surpresa pra você. — Seguro sua mão, e ele me olha horrorizado.

— Ai, não, Penny. Não vou fazer aquela brincadeira boba no parque de novo, não quero fingir que sou um esquilo procurando castanhas. Foi só daquela vez.

Ele larga minha mão e olha para mim com cara feia enquanto dou risada. A lembrança nítida de Elliot encolhido embaixo de um carvalho, com as mãos perto da boca e os dentes à mostra, numa careta de roedor, é simplesmente hilária.

— Não, seu bobo. Vem comigo.

Puxo Elliot sem responder às suas perguntas, o que o deixa frustrado.

Andamos de braços dados em direção ao mar. No silêncio, ouvimos só o barulho das ondas e das gaivotas. O anoitecer é lindo, com nuances roxas e rosadas pintando o céu. O pôr do sol vai ser maravilhoso, e estou feliz por tudo estar saindo de acordo com o plano de Alex.

Elliot apoia a cabeça em meu ombro enquanto caminhamos.

— Eu vinha aqui com o Alex à noite. Só caminhávamos e ficávamos ouvindo o mar. Era a única hora em que ele não se preocupava com a possibilidade de alguém nos ver juntos. Era nosso passeio favorito. Tão secreto, tão romântico.

Paramos por um momento e encostamos na cerca. Elliot puxa um pedaço da tinta branca que está descascando e olha para o mar com tristeza. Nunca o vi tão deprimido, e uma lágrima escorre do seu rosto.

— Você acha que eu estraguei tudo, Penny? Que eu nunca mais vou ver, tocar ou beijar o Alex de novo?

Afago seu braço.

— Não se preocupa, Els. No fim, vai dar tudo certo.

— Como você sabe?

— Pressentimento. Agora chega, não quero que você veja a surpresa com os olhos inchados. — Dou um lenço de papel para ele, depois o abraço apertado.

— Obrigado, Penny. — Elliot enxuga os olhos e funga de um jeito dramático. — Tudo bem, vamos lá! Cadê essa sua surpresa?

— Estamos perto.

— Quanto mistério, princesa P! Eu gosto disso. Ei, o que é aquilo no coreto?

Levanto a cabeça, e meu queixo cai. O coreto está lindo! Alex trabalhou duro revestindo todo o exterior com luzinhas.

— Não sei. Será que alguém vai casar? — respondo.

— Uau, nunca vi esse lugar assim antes. Você devia tirar uma foto!

Aceito a sugestão, pego minha câmera e tiro a foto. O sol está se pondo, e a luz empresta à estrutura de ferro do telhado um brilho acobreado. É incrível, principalmente com as ruínas do velho West Pier ao fundo.

— Sabia que o coreto foi inaugurado em 1884? — Elliot pergunta.

— Nunca pensei que fosse tão velho!

— É, mas foi restaurado há alguns anos, devolvido à condição original. Acho que não existe lugar mais romântico para um casamento.

— Vamos olhar de perto?

— Será que vão deixar? — Elliot se anima. — Não vamos nos atrasar para a surpresa?

Sorrio.

— Vai dar tempo.

Quando chegamos mais perto do coreto, vejo que Alex decorou a passarela que temos de atravessar para chegar ao palco, cuja entrada foi fechada por uma cortina de veludo. Imagino que Alex esteja escondido atrás dela.

Há uma placa na frente, avisando: "FECHADO PARA FESTA PARTICULAR".

— Ah, que pena — Elliot lamenta.

Cutuco suas costelas com o cotovelo.

— Vamos dar uma olhada mais de perto?

Bem embaixo da placa está a foto que tirei de Alex e Elliot no show do The Sketch, ampliada para todo mundo ver.

— O que... o que é isso? — Elliot recua alguns passos.

Seu rosto perde a cor e ele fica tenso, como se estivesse pronto para sair correndo. E de repente tenho medo de que tudo dê terrivelmente errado.

58

— Que brincadeira é essa? — Elliot pergunta.

Balanço a cabeça.

— Acho que você precisa entrar. — Sorrio e aponto uma lousa pequena, na qual se lê: "ELLIOT, ME SIGA".

Ele engole em seco, olha para mim em busca de algum sinal de que se trata de um engano, depois dá um passo à frente. Fico onde estou, porque acho que ele deve viver a experiência sozinho, mas Elliot vira e segura minha mão, me puxa com ele. Vejo um caminho de pétalas de rosa na passarela. Em volta dele e penduradas na grade dos dois lados, lembranças de Alexiot: fotos de Elliot que nunca vi antes, canhotos de ingressos de shows e cinema, coisas que eles fizeram juntos, e até a etiqueta da primeira echarpe que Elliot deu de presente para Alex.

Elliot caminha devagar, lendo os bilhetes e rindo de fotos que Alex tirou dele em segredo. Tem uma em que Elliot dorme de boca aberta no carro de Alex. Alex tirou uma selfie com Elliot atrás dele, com o polegar levantado. Elliot sorri e ri de todas as lembranças, e já vejo as lágrimas em seus olhos, mas agora são de felicidade.

Parece levar uma eternidade, mas finalmente chegamos à cortina de veludo que cobre a entrada do coreto. Fico na ponta dos pés, beijo o rosto de Elliot e o empurro com delicadeza para a cortina. Ele solta minha mão, respira fundo e passa pela abertura.

No fundo do coreto, recortado contra o sol poente, vejo Alex extremamente elegante em um terno novo. Tem lanternas e luzes pequeninas penduradas na estrutura do telhado, e o teto está coberto de luzinhas brancas. Pompons e bandeirinhas foram pendurados entre as colunas. É um cenário de filme. Definitivamente, essa é a coisa mais romântica que já testemunhei, e não estou nem um pouco ressentida por não ter sido feita para mim. Faço um esforço enorme para não chorar de alegria.

Elliot se aproxima de Alex e para diante dele. Alex segura as mãos dele e olha em seus olhos.

— Elliot Wentworth. Nunca vou poder apagar a dor que causei, mas vou fazer tudo o que puder para consertar as coisas entre nós.

Elliot olha para os lábios de Alex, depois para os olhos dele de novo, e sinto a eletricidade entre os dois. Ainda bem que a estrutura é de ferro, não de madeira. A química entre eles é tão intensa que seria capaz de provocar um incêndio.

— Estou sem fala, Alex. Ninguém nunca fez nada parecido com isso por mim. — Elliot parece prestes a chorar de verdade, ou a explodir numa nuvem de confete, tamanha sua felicidade.

— Dança comigo? — Alex estende a mão, e Elliot a aceita.

Ouço os primeiros acordes de "Elements", mas fico confusa. Não vi Alex ligar o aparelho de som, não sei de onde vem a música. Então ouço passos na passarela e meu coração dispara. A cortina se move, e Noah entra no coreto.

Ele penteou o cabelo para trás, mas ainda vejo alguns cachos. O jeans rasgado deu lugar à calça social, e a camisa branca e justa, com as mangas dobradas, enfatiza o corpo musculoso. Além disso — claro — ele está com o violão, tocando "Elements". Meu estômago dá uma cambalhota quando ele sorri para mim meio de lado.

Noah começa a cantar a música de Alexiot, a voz rouca e macia acompanhando os acordes do violão. Elliot e Alex dançam juntos enquanto o sol desaparece no horizonte. As luzes parecem brilhar ainda mais, agora que escureceu, e eu assisto a tudo com lágrimas nos olhos. Parece um sonho. Não consigo nem imaginar como Elliot se sente agora.

Noah está aqui.

Não acredito.

Quando ele termina de cantar, Alex, Elliot e eu aplaudimos vigorosamente. Mas Elliot se afasta de Alex, e o afastamento é suficiente para me fazer temer que ele não aceite o ex de volta. Não quero nem ver se meu amigo se recusar a perdoar.

— Alex, isso é incrível... mas ainda não sei se posso ficar com você. Se for como antes...

— Não vai ser como antes, Elliot. Eu prometo.

— Como posso ter certeza?

— Vem comigo — diz Alex. — Essa surpresa tem mais um elemento.

— Ainda tem mais? Alex, isso é demais!

— Não, Elliot. Espero que seja o suficiente.

Ele leva Elliot até a beirada do coreto. Então levanta a voz e diz:

— Tudo pronto? Três... dois... um!

59

À contagem de Alex, pessoas começam a surgir da praia e do café ao lado do coreto. Todas olham para nós quatro, parados no palco, e começam a gritar e a aplaudir com entusiasmo. Vejo os pais de Alex, os de Elliot e os meus no meio do grupo.

Noah pega um microfone, que nem sei de onde tirou, e canta uma de suas músicas mais animadas. As pessoas começam a dançar na praia. Alex olha para Elliot e diz:

— Eu quero mostrar ao mundo que você é meu. Mas, enquanto não pode ser o mundo todo, eu me contento com nossos amigos e nossas famílias.

Elliot abraça Alex e eles se beijam, e todo mundo aplaude. Tento aplaudir mais alto que todos, e acrescento um assobio para ajudar.

Quando Noah encerra a apresentação ao vivo, a música continua graças a um aparelho de som, e Alex e Elliot atravessam a passarela de mãos dadas para se juntar às pessoas na praia.

Eu fico e espero Noah guardar o violão. Ele continua sorrindo para mim, e, cada vez que sorri, sinto um arrepio. As covinhas sempre me abalam.

— Oi, Penny. Você não ficou brava por eu ter pedido ao Alex para participar da surpresa, né?

Balanço a cabeça. Não sei se consigo falar.

— Que bom. Eu queria fazer alguma coisa especial por ele e o Elliot. E achei que seria uma boa oportunidade pra gente conversar de novo. Tudo bem?

Assinto. Ele toca a parte inferior das minhas costas e me leva para a praia sem dizer nada. Estou usando uma blusa curta, e a mão dele encosta em minha pele nua. Quando chegamos ao fim da passarela, vejo Larry debruçado sobre a grade de metal que separa o calçadão da praia.

— Oi, Larry! — cumprimento. Chego mais perto para abraçá-lo e vejo lágrimas em seus olhos.

— Oi, Penny, que bom te ver. Desculpa, mas eu sempre choro com finais felizes. — Ele limpa o rosto e aponta Alex e Elliot. — Espero que você também tenha um — acrescenta com uma piscadela.

— Obrigada — sorrio.

Noah me espera voltar, depois nos afastamos da festa. Ele estende a mão para me ajudar a descer pelas pedras escorregadias em direção à praia, que está vazia naquele trecho. Ainda é possível ver o brilho do sol, apesar de a lua se erguer no céu. Viro e olho para Noah. Seus olhos estão mais escuros, embora convidativos, e vejo a sombra da barba rala em seu queixo. Olho para trás, para a festa de Alex e Elliot, e vejo os dois abraçados. Eles parecem muito felizes.

Noah e eu sentamos no chão e nos acomodamos entre os seixos. Ele afasta o cabelo do meu rosto, e os dedos tocam minha pele.

— Eu quero ficar aqui com você, Penny. Quero isto aqui. Quero nós dois. — Ele apoia a mão nas pedras mornas e coloca a minha sobre a dele. Ficamos em silêncio, e eu inspiro o ar salgado do mar, observando as gaivotas sobre nós. Sentados, com as mãos unidas, olhamos as ondas que vêm e vão. Isso me lembra muito o começo do ano, quando ele apareceu e me surpreendeu com a Princesa Outono na praia. É engraçado como círculos se fecham.

Mas a realidade se impõe.

— Você não pode ficar aqui. Não posso deixar você desistir do seu sonho. Você está fazendo o que sempre quis fazer, o que nasceu pra fazer. — Olho para ele e vejo que está me encarando, mordendo o lábio.

287

— E eu também não posso pedir que você desista da sua vida pra se juntar a mim — ele suspira. — Não quero te arrastar comigo, não é justo. Você tem a sua vida. Já imaginou todas as coisas que você estaria fazendo, se não tivesse me conhecido?

A tristeza me invade como as ondas do mar. Se não tivesse conhecido Noah, não estaríamos ali sentados agora. Eu não teria todas aquelas lembranças lindas, e minha ansiedade seria muito pior. Noah me ajudou a me aceitar, e tudo que vivi com ele contribuiu para como eu vivo neste momento.

— Você é muito talentosa, Penny, e uma das coisas que amo em você é a sua coragem. Você tem seus momentos desajeitados, eu sei, mas também gosto deles. — Ele ri, e eu também. Não existe tensão entre nós, tudo é relaxado e tranquilo, como quando a gente se conheceu.

— O que vamos fazer, então? — pergunto, hesitante. Normalmente, eu teria medo da resposta de Noah. Ele vai dizer que nunca mais vamos nos ver? Que este é o nosso último momento juntos? Seja como for, alguma coisa dentro de mim diz que tenho que perguntar. Não dá para continuar como estamos, fazendo todo esse esforço para guiarmos a vida dele e a minha na mesma direção.

— Não sei. Só sei que quero curtir este momento com você.

— Eu também.

Noah segura minha mão, beija meus dedos e os aninha entre as mãos enquanto olha para o mar.

— Você vai ser sempre meu Incidente Incitante — digo, e ele aperta ainda mais minha mão.

— Acho que chegamos ao fim do filme... mas não aos créditos. Eu já falei, Penny, você é minha garota pra sempre. E estava falando sério.

— Apesar de sorrir para mim, Noah tem os olhos cheios de lágrimas. Ele me abraça. Ficamos abraçados, de olhos fechados, ouvindo o som das ondas e o barulho da festa de Alex e Elliot ao fundo.

Sinto o coração dele ecoando em meu peito, os dedos passeando por minhas costas, e me derreto em seus braços. Quando nos afastamos, sorrimos um para o outro e olhamos para o mar batendo nas pedras. Sinto um nó na garganta conforme a compreensão e a serenidade me invadem.

288

Duas lágrimas correm pelo meu rosto. Eu as limpo e suspiro. Noah levanta e estende a mão para me ajudar a ficar em pé. Nosso momento acabou.

Seguro a mão dele, e o encaixe é perfeito. Quando ele me puxa, sinto que meu coração também se ergue.

Nossos olhares se encontram quando dou um passo na direção dele. Tomei minha decisão. Pode ser o fim deste capítulo, mas, para nós, esta história está apenas começando.

Agradecimentos

Depois do sucesso do meu primeiro livro, começar o segundo foi meio assustador, principalmente com tanta gente esperando a volta de Penny e Noah. Eu não teria sido capaz de continuar sem minha editora e agora amiga, Amy Alward. Nossas "quartas-feiras para escrever" eram cheias de lanchinhos, anotações, ruído de teclas e risadas. Amy me ajudou a crescer como autora, mas também como pessoa; ela incentivou minhas ideias malucas e sempre soube a coisa certa a dizer quando tudo ficava difícil. As quartas-feiras não serão mais as mesmas sem você!

À incrível equipe da Penguin, que ajudou a trazer ao mundo os livros da série *Garota Online* — obrigada, Shannon Cullen, Laura Squire, Kimberley Davis e Wendy Shakespeare, pelo apoio editorial; Tania Vian-Smith, Gemma Rostill, Clara Kelly e Natasha Collie, pela fantástica competência com o marketing e a publicidade; Zosia Knopp e o pessoal de direitos internacionais, pela tradução de *Garota Online* em tantos idiomas diferentes pelo mundo; e a toda a equipe de vendas, pela confiança e o entusiasmo constantes.

Meus empresários, Dom Smales e Maddie Chester, são dois dos meus maiores incentivadores. (Vou lhes dar um momento para imaginar Dom de minissaia, balançando pompons de líder de torcida.) Seu apoio contínuo e incentivo constante me mantiveram focada. Obrigada, Maddie, por ser uma influência sempre positiva e uma amiga. Fico muito feliz por ter você ao meu lado, afagando minha mão com entusiasmo enquanto todas essas coisas malucas acontecem.

Obrigada à minha maravilhosa família, por ser sempre minha maior fonte de apoio, principalmente meus pais, que sempre me permitem fazer o que o coração quer, e que continuam ao meu lado no sucesso e no fracasso. Saber que vocês se orgulham tanto de mim significa que não tenho medo de nenhum resultado. Joe, obrigada por ser a pessoa que sempre traz à tona o melhor em mim, por me desafiar a seguir em frente quando sinto que não posso mais. À minha família em Brighton, Nick, Amanda, Poppy e Sean, obrigada pelo apoio permanente, pelas risadas e por estarem sempre aí, de braços abertos para mim.

Aos amigos maravilhosos que me inspiram e incentivam com sua criatividade e compartilham do meu entusiasmo. Não há nada mais reconfortante do que um grupo que apoia tudo que você faz. Obrigada pelas risadas e pelos abraços.

Finalmente, obrigada a meu namorado, Alfie, por ser uma influência que me acalma e por manter minha cabeça fora d'água. Eu não seria capaz de funcionar tão bem sem a sua ajuda. Sou muito feliz por poder compartilhar esta vida meio maluca com você (mesmo que você tenha dormido enquanto eu lia o primeiro capítulo para você).

Zoe Sugg

Garota Online

Agora no Snapchat:
girlonlinebooks

Adicione a gente para ter conteúdo exclusivo, competições e muito mais...

Para todas as notícias sobre

www.girlonlinebooks.com

Impresso no Brasil pelo Sistema Cameron da Divisão Gráfica da
DISTRIBUIDORA RECORD DE SERVIÇOS DE IMPRENSA S.A.